COLLECTION LOCALE
10224 409 2

D1082536

COLLECTION FICTIONS

Le gamin de Claude Jasmin
est le quarante-huitième titre de cette collection.

CLAUDE JASMIN

Le gamin

roman

l'HEXAGONE

Éditions de l'HEXAGONE
900, rue Ontario est
Montréal, Québec H2L 1P4
Téléphone: (514) 525-2811

Maquette de couverture: Claude Lafrance
Illustration de couverture: Claude Jasmin
Photo de l'auteur: Daniel Jasmin

Photocomposition: Les Ateliers C.M. inc.

Distribution: Diffusion Dimedia inc.
539, boulevard Lebeau
Saint-Laurent, Québec H4N 1S2
Téléphone: (514) 336-3941; télex: 05-827543

Dépôt légal: troisième trimestre 1990
Bibliothèque nationale du Québec
Bibliothèque nationale du Canada

ISBN 2-89006-396-8

1

Étais châtain ce matin, presque blond. Maintenant j'ai les cheveux bruns. Ça se peut qu'on me trouve mort. Le rouquin, qui se fait appeler Zaide, est sorti. Il a entraîné Doublevay, un petit gros. Suis seul avec un gaillard aux cheveux tout gris; m'a l'air d'être leur chef. Ce moustachu mâchonne des cigarillos éteints, m'a dit qu'on l'appelait Herr. Je lui ai dit: «Comment vous l'écrivez?» Il a fait: «Comme on veut.» Nom de code? Il a dit aussi: «Pose pas trop de questions. C'est pas dans ton intérêt.» M'ayant menotté, il s'est mis à faire des téléphones à travers le monde! J'écris au dos des pages d'un épais livre à colorier, cadeau du noiraud gras, Doublevay, le moins tendu des trois. Tout a commencé ce matin, un vendredi, 13 mai, jour de congé. Les profs étudient. J'étais allé chez un copain, David. Même prénom que moi. Fils unique. Riche. Ma mère fait le ménage chez eux, les Livemann. Mon père est mort subitement, il y a deux ans de ça. J'avais dix ans. J'ai trois frères, Laurent, huit ans, Simon, six ans et Thomas, quatre ans. Vers huit heures, ce matin, j'ai quitté notre deuxième de la rue Hutchison, pas loin de la rue Villeneuve pour grimper vers le chemin de la Côte Sainte-Catherine au pied de la montagne. Je devais prévenir la grand-mère de David que maman serait en retard, elle lui sert d'infirmière pour ses piqûres, en plus du ménage.

En arrivant, la mémé m'a dit que David était allé chercher un jeu de cricket dans le cabanon du jardin. Ses parents sont en voyage en Israël. M. Livemann est consul. Un papa très froid, parle vraiment pas souvent. La grand-mère m'a dit: «Je vais te préparer du chocolat chaud.» À ce moment on a sonné à la porte. La vieille m'a dit: «Va ouvrir.» J'ai ouvert et j'ai aperçu le rouquin et le gros aux cheveux luisants, Doublevay. C'est lui qui a dit: «C'est toi David?» J'ai dit: «Oui.» C'est tout. Le gros m'a soulevé, a descendu l'escalier et m'a jeté dans un coffre d'auto rouge vin. J'allais leur dire: «L'autre David est sorti dans le jardin.» Pas eu le temps de finir ma phrase.

Aussitôt que le gros m'a offert le livre de coloriage, je me suis mis à écrire. J'aime écrire. À cinq ans, mon père m'avait appris. On dirait que papa avait hâte de me voir vieillir, sentait-il sa mort prématurée? Quand ils vont apprendre que je ne suis pas le fils du consul mais un dénommé David Lange, vont me tuer sans doute. Ne veux pas mourir jeune. J'écris ce que je vois, ce que je vis, derrière ces pages de dessins à colorier. J'ai peur. Ces trois bandits croient avoir enlevé un otage qui vaut une petite fortune. Pour rester vivant, je prie le ciel que la grand-mère n'aille pas dire la vérité à mon sujet. Que, plus tard, les parents de David, alertés, décident aussi de faire croire à tout le monde que je suis le vrai David, le fils du consul d'Israël, M. Samuel Livemann. Ma vie en dépend. Ma mère doit maintenant se mourir d'inquiétude. Elle devait arriver chez les Livemann une heure après moi.

À l'école je suis le plus fort de la classe. Grâce à mon père, à quatre ans je savais mes lettres et tous les chiffres. Il me lisait aussi des encyclopédies.

Frontière Canada-USA, premier arrêt et je balançais entre me taire ou manifester ma présence dans ce coffre. Mais ça n'a pas duré une minute. Quand je me suis décidé à crier et à cogner des pieds, il était trop tard. Plus tard, ont stoppé et le rouquin est venu me faire sortir, m'a fait sortir, m'a fait monter en arrière de l'auto. J'ai pu voir une affiche annonçant: Burlington. Vermont. Cinq kilomètres.

2

Dans ce petit chalet-motel, je suis menotté par une cheville aux barreaux d'une lourde chaise à bascule. Le chef Herr a ouvert un annuaire du téléphone et suce un stylo tout en parcourant des listes d'abonnés. La radio joue du rock. Je joue le bon garçon qui aime les livres à colorier. Il a beaucoup de pages. Est-ce que je serai tué avant la fin? Si cette radio fait part de leur erreur sur la personne ils vont régler mon cas. Vite. Je prie: «Mon Dieu, faites que tout le monde se la ferme sur l'erreur des deux David. Avant de mourir, je balancerai ce livre. Une bouteille à la mer! Y avait tant de jouets merveilleux chez les Livemann. Me souviens de ce que m'avait dit papa avant de mourir: «Le monde déteste les Juifs et c'est une grande bêtise.» Mon père recevait souvent, le dimanche après-midi, son ami Salomon Neufeld, à qui il manquait deux doigts à la main droite. C'était un vieux, encore très alerte qui racontait sans cesse ses luttes secrètes de Résistant en France. J'aimais l'écouter.

J'ai tourné la page rapidement et fait semblant de colorier un tigre dans une savane, Doublevay et Zaide revenaient au chalet. Le gros m'a donné une tablette de chocolat. A dit: «Tu mangeras ça après le lunch, pas avant! Compris?» C'est le cuisinier. A étalé le contenu d'énormes sacs d'épicerie. Il chantonne, suce sans cesse des pastilles de menthe et coupe, pèle très adroitement. Le rouquin s'est fait engueuler par Herr qui cherchait toujours ses numéros de téléphone. J'ai compris que le rouquin avait gardé sur lui un calepin de numéros de téléphone. Désormais c'est Herr qui gardera le calepin. Pendant que Doublevay sort poêlons et chaudrons, j'entends Herr qui parle au téléphone: «Oui! Nous l'avons. Garanti! Il est avec nous. Vous pouvez envoyer le message numéro un, Jeff, nous allons attendre vos instructions.» Je me demande qui est ce Jeff au bout de la ligne. Herr était respectueux. Comme s'il s'adressait à un supérieur.

J'écris maintenant en vert. Soleil très brillant. Le chalet en est tout illuminé ce matin. On m'a fait dormir sur un canapé dans le vivoir avec ces satanées menottes verrouillées au bras en érable ouvragé du divan. Ai repris mon livre. Espère qu'on retrouvera un jour mon livre de dessins. Je veux qu'on laisse à Thomas toute ma collection de voitures et camions. À mon frère cadet, Laurent, je laisse mon équipement pour jouer au hockey. Je sais qu'il aime pas le sport. Il doit se rentrer dans la tête que c'est important pour la santé. Veux laisser au frère du milieu, Simon, tous mes jeux de société. Mes billes multicolores dans un sac au-dessus du gros pupitre ancien, à gauche du téléviseur, ça ira aussi à Simon. À qui donner mes florilèges de découpures d'animaux sauvages? À toi, Laurent, qui me les empruntais le plus souvent. Laurent, tu as quatre ans de plus que Thomas. Il n'aura que toi. Tu devras l'aider à grandir, un peu comme je faisais avec toi. Le défendre aussi en cas d'attaques sournoises par la bande à Gordon par exemple. Oui, mon Laurent, ne serai plus là pour te venger mais je vais te regarder d'en haut, du monde des esprits, tenterai de t'influencer pour le mieux. Ne fais jamais pleurer maman. N'est plus en bonne santé depuis la mort de notre père, tu le sais. Tâche de t'améliorer, de vieillir plus vite, de devenir ce que j'étais, «son bras droit» comme le répétait maman à tous nos voisins.

Dans l'avant-midi, le gros Doublevay a dit: «Je vais lui faire prendre l'air au petit consul.» Herr a crié: «Pas tout seul. Tu vas y aller avec Zaide qui est plus fiable que toi.» On a marché derrière le chalet. C'est plein d'arbres de toutes sortes. La terre était boueuse et le gros a glissé. Il sacrait comme un charretier. Le rouquin rigolait. Doublevay, qui a toujours chaud, se promène en chemise, porte des souliers en cuir beige très luisants. Un dandy. Un gros dandy essouflé. L'heure du lunch: m'ont fait manger une sorte de choucroute, une recette du gros. Avec de la tarte aux cerises pour dessert. Mon plat préféré. Ai eu un petit rire incontrôlable quand Doublevay m'a apporté cette assiette disant: «On regrette m'sieur le consul, mais c'est tout ce qu'on a pour dessert.» Le trio a bu une grande quantité de canettes de bière. Le gros a eu mal au ventre, est allé se coucher en râlant, la bouche pleine de ses menthes. Zaide, lui, rotait comme un canard pris de coliques, ce qui enrageait le chef Herr: «Excusez-le, m'sieur le consul. C'est un grossier personnage.» Comment vont-ils me traiter au moment où ils apprendront leur méprise? Je garde ma mine d'enfant sage. Je crayonne avec mes feutres ces images idiotes, l'une représente un garçonnet cueillant des pommes pour une fillette, panier au bras. Petits Adam et Ève! J'ai mis les pommes en bleu. L'arbre en rouge. La fillette en violet. Herr s'est approché: «Vous autres, les Juifs, vous faites rien comme tout le monde et c'est ça qui est pas supportable.» Ai rien dit. Si j'étais Juif au moins. Si j'étais David Livemann. Je suis David Lange et je sais pas grand-chose des Juifs. Notre père disait: «Le Bon Dieu n'existe pas. Il y a les autres. Et il y a la justice. Et puis il y a la mort. Dieu n'existe pas. Il n'y a que la Lumière, ce sera pour les justes seulement.»

Zaide s'est réveillé en gueulant, une guêpe l'avait piqué. Est venu se planter devant Herr, a déclaré: «Je vais en ville louer des cassettes.» Revenu une heure plus tard. Je me demande où c'est «en ville». Burlington peut-être? Ou bien Barre, dans le Vermont. Plus jeunes, nous allions à Wells Beach, dans le Maine et on passait par cette région. Barre, c'est toujours là que papa faisait halte avec la familiale, on allait dans une rôtisserie tenue par des Alsaciens avec qui papa aimait jaser. Retour de Zaide. Gros Doublevay m'a amené dans sa chambre, m'a dit: «Tu bouges pas. Je te poserai pas les menottes. J'ai confiance, David Livemann.» Voulaient se débarrasser de moi. J'ai repris mon gros livre à colorier et mes feutres. Regardaient des films pornos et riaient parfois. J'entendais des: «Oh la stupide truie! Oh la vipère de chienne!» Du mal à continuer mon testament. Raconter ce que je vis. Tentais d'imaginer le désarroi de maman. Elle avait dû engueuler la vieille Mme Rosenveig. Toutes les polices devaient faire maintenant des recherches. Laurent a dû garder les yeux secs. N'aime pas manifester ses sentiments. Une huître. Pleure par en dedans, on dirait. Petit Thomas doit se rendre compte de rien. J'imaginais sa petite voix gazouillante: «Davi' pa'ti? Pa'ti Davi'?» Me suis mis à pleurer. Avais le cœur trop gros. Fallait que ça éclate. Ne veux pas mourir. Pas si jeune.

Me demandais si je ferais pas bien de leur avouer: «Écoutez-moi tous les trois. Ne suis pas David Livemann! Vous vous êtes trompé. Suis le garçon de leur femme de ménage.» Mieux de me taire. Si la famille Livemann et ma mère étaient arrivées à s'entendre, les polices aussi: faire croire à mes ravisseurs que je suis le fils du consul? Ma vie pourrait se prolonger. Un bout de temps. Rires et exclamations grossières fusaient toujours. Revoyais notre logis de la rue Hutchison, la ruelle de nos jeux. Mes meilleurs copains, Alain, Benoît, Charles. Ma vaste collection de photos de bêtes fauves et me suis endormi peu à peu.

3

Enfin ils se lèvent! Moi, je suis réveillé avant l'aube. Doublevay prépare du café. Herr est venu me détacher le pied. M'a dit: «Va t'asseoir à la table à cartes, là-bas, dans le coin. Tu bouges, je te remets aux menottes.» Zaide-le-rouge était enfermé aux toilettes, pataugeant dans la baignoire depuis plus d'une heure quand le gros Doublevay a crié: «C'est prêt. Sors de là pour l'amour du Christ!» Me suis dit que lui, le gros, il devrait y aller. Hier soir, puait de partout quand il est venu dans la chambre. Impression qu'il ne se lave jamais. Le trio lit des journaux et boit des cafés. On a frappé à la porte du chalet. Herr m'a soulevé dans ses bras d'acier, est allé me jeter sur un des lits de sa chambre. «Bouge d'un cheveu pis t'es mort!» M'a fait voir un revolver dans une drôle de ceinture sous sa robe de chambre jaune. Lui parti, j'ai rouvert la porte pour voir ce qui allait se passer. C'était le proprio des motels et des cabines. Il a parlé d'une voix rauque, brassait son trousseau de clefs. A dit: «Vous restez ou vous partez? Faut que je sache. Décidez-vous.» Herr a répondu: «Craignez pas. À onze heures pile vous allez le savoir. On peut rester jusque-là, c'est marqué derrière la porte d'entrée.» Directeurconcierge reparti mâchant, se grattant le derrière, tout le monde s'est habillé. M'avaient acheté un pyjama. Rose. Ridicule. «Tout ce qu'y restait» a grommelé Zaide, hier, en me le jetant à la figure. J'ai remis mon chandail bleu, mon pantalon kaki, mes souliers de course avec mes chaussettes de laine blanche. Doublevay est allé chercher la voiture. Zaide a été chargé de changer les plaques d'immatriculation. Très sérieux, Herr m'a dit: «Nous allons faire un tour d'avion. Faut que je te parle très sérieusement.» M'a fait asseoir près de l'entrée. Les bagages se faisaient sortir par les deux autres. Herr s'est allumé un petit cigare. «Des garçons importants comme toi, David, on en a une liste longue comme les deux bras. Saisis-tu ça? Bien. Tu vas nous accompagner sagement. Tu fais rien pour te signaler et, bientôt, tu pourras rentrer dans ta grande maison. Tu dis un mot de trop, de travers, et tu perds la vie. C'est clair ça? Nous avons tous du gros calibre sous le bras.» À chaque bout de phrase, je faisais de frénétiques «oui-oui» de la tête. «On va rencontrer du monde. Parfois des personnes utiles, d'autres, nuisibles, qu'on connaît pas. C'est simple, tu fais le fils de Doublevay. On a les papiers qu'y faut. Doublevay a déjà eu un garçon qui te ressemblait. Cheveux bruns, yeux bruns, même âge à peu près.» On a marché vers l'auto: «Attention, un geste de trop et paf! T'es mort, mon p'tit cul!» J'avais bien compris. Finies les menottes pour un bout de temps? Je déteste être attaché, tous mes amis savent ça. Herr a roulé vers le bureau d'inscription des chalets, a payé, est revenu à la Pontiac rouge vin, m'a souri maigrement: «En vitesse, l'aéroport maintenant.»

4

Des heures et des heures ont passé. Vous qui lisez ce livre trouvé, sachez que j'étais un sac qu'on traîne. Un sac ne parle pas. J'écris jaune. Feutre vert défectueux. New York comme les rangées de conserves à notre supermarché. Papa avait promis de nous y amener sans pouvoir tenir parole. Puis il est mort. Noyé, jamais retrouvé son corps. New York. Le petit avion de Burlington en moins d'une heure nous a conduits tous les quatre à Boston d'abord. Nous sommes allés dans un restaurant, place du vieux marché toute rénovée. Doublevay joue le papa gentil. Fais le fils docile. Il en fait trop. Herr: «Pas trop de chouchoutage, Double! Tu vas nous le rendre capricieux.» C'est que mon nouveau père m'a acheté une chemisette, un pantalon neuf, des souliers neufs et m'a même payé une glace aux pistaches. Il a acheté pour son vrai fils un T-Shirt avec, imprimé, un *Batman*. «Je finirai par le retrouver un jour mon p'tit gars.» La voix du papa éploré, les deux autres ont ricané. J'ai obtenu aussi un coupe-vent de nylon couleur limette. Le chef Herr revenait de rencontrer un certain Dickery, si j'ai bien compris. De Boston, après le lunch, nous avons pris encore un petit avion pour aller atterrir à Provincetown, au cap Cod au motel *Languna*. Le gros a voulu se baigner mais l'eau de la mer était glacée, en ce 15 mai. Doublevay criant et sautillant: «Un homard m'a mordu!» Gueulait. On a vu un de ses gros orteils pissant le sang. Zaide est allé lui acheter de l'iode, de la ouate et des pansements. Pour le faire enrager, façonné un énorme pied tout en bandages. Herr ne rit jamais. Malgré ses cheveux couleur d'aluminium, il est encore très jeune. Passe son temps à faire des mots croisés et à mâchonner des cigarillos qu'il n'allume pas le plus souvent. Les tète, les mâchouille, des guenilles molles, pendouillantes. Avant le souper, une sorte de nain aux cheveux d'un blond acidulé est venu porter une voiture BMW toute dorée. J'ai vu le chef lui remettre un paquet comme une chemise sortie de chez le nettoyeur. Le blondinet nabot est reparti en vitesse dans la Pontiac rouge vin. On veut sans cesse déjouer les polices? Herr s'est fait couper la moustache. Zaide a les cheveux en brosse maintenant, carotte râpée!

On a roulé en BMW, du cap Cod à New York. Quand mon gros papa a pris le volant, on touchait le *big apple* New York. Il s'est trompé de bretelles, ça a mis Herr dans tous ses états. Lui a cogné sur la caboche, l'a forcé à stopper la BMW, a pris le volant. Herr semblait bien connaître les divers *throughways* qui ceinturent Manhattan. Zaide ronfle à mes côtés. Nous sommes installés à l'hôtel Milford, centre-ville. Les rues s'agitent. Milliers de marionnettes survoltées.

Doublevay a eu la permission de m'amener manger dans une gargote qu'il disait «bien parfaite». Un *delicatessen* pas loin de la 45e rue, proche du Milford. J'ai peu mangé. Ai toujours peur que ça finisse mal. Crains sans cesse ce moment fatal où ils apprendront la vérité. J'imagine un Herr démonté, fusil dans la main, criant: «On s'est trompés d'enfant! C'est pas le fils du consul!» Paf! Paf! Enterrer un bonhomme de douze ans. Fin de ma vie! On retrouvera jamais mon corps. Douleur de maman: «Ça suffisait pas qu'on retrouve pas mon mari noyé!» Mes frères se lamentant qu'au moins ils puissent me voir dans un cercueil, comme tous les morts ordinaires de la vie courante. Me tenir bien sage, bien muet. Le trio a loué une grande chambre avec deux grands lits. Je dois coucher sur un divan de cuir. Herr a déclaré qu'il fallait me menotter un pied, au calorifère, comme au chalet de Burlington et au motel de Provincetown. J'ai repris mes feutres pour qu'au moins il reste cela, ce livre en mémoire de moi.

Ai eu beaucoup de mal à m'endormir à New York. Vers midi, un homme est venu à la chambre. Vieillard au nez croche, peau couleur d'iode. A semblé être un ami intime de Herr. Zaide et Doublevay ont été invités à descendre au restaurant du rez-de-chaussée du Milford. Herr voulait discuter, seul à seul avec ce vieux aux cheveux d'un jaune délavé. Habillé d'un imperméable, le vieux a voulu parler dans la salle de bains. J'ai pu entendre que l'on comptait du papier. Une somme d'argent? Ma rançon? Allait-on enfin me relâcher? Mon cœur battait plus vite. L'envoyé des Livemann qui payait? Même si l'otage n'était pas le bon? Qu'un pauvre de la rue Hutchison. Mais non! Le vieux est reparti en me jetant un drôle de regard. Herr m'a dit: «On traverse l'Atlantique. Monsieur le consul va visiter l'Angleterre!» Ai pleuré un bon coup. Ai eu un mal fou à m'endormir. À la télé, dans les journaux, les truands en ont parlé: il n'y a jamais la photo du jeune otage. Ça m'arrange. Tout le monde joue donc le jeu! J'ai l'impression qu'il s'agit de ne pas payer une rançon. Je commence à comprendre que je suis pris dans une affaire d'échange. Herr a marmonné au vieux: «Vive la Palestine!» Ne s'agit pas d'une acceptation ou d'un refus des Livemann. Tout un gouvernement, celui d'Israël sans doute, tient ma vie dans ses mains? Refus de négocier, paf! paf! ou bien glouglou! Demain: *«Le directeur du Milford a retrouvé, sans vie, un jeune garçon mort par noyade dans une baignoire de son hôtel»* liront tous ces New-Yorkais stressés. N'arrive pas à dormir. Je soupèse les chances de m'échapper. Inutile, ces gens sont des tireurs d'élite sans doute.

Finie la vie pour moi? Finis les pique-niques sur la montagne, fini le camp de vacances des clercs de St-Viateur, à Rigaud. Finie la pêche au lac de la Minerve chez grand-papa Jean-Claude, le seul riche du clan Lange. Terminés les jeux, terminé d'apprendre, moi qui aimais tant savoir. J'oubliais! Dois écrire ça: je laisse à Laurent, mon boomerang tout neuf et l'arc à flèches laissé à la Minerve. Je laisse à Simon ma grosse lampe de poche à quatre piles. On oublie toujours des choses. La première fois que je frôle la mort. Dois me calmer, au moins pour une nuit. Dois me retenir de pleurer encore. Ça servira à rien. Mon père disait souvent: «La vie, pas une partie de plaisir. Tu découvriras mille sujets d'enrager contre les injustices des hommes.» Papa était un perpétuel révolté. Maman lui répétait: «Pense un peu plus à toi. À nous!»

5

Herr est venu me détacher. Il m'a dit: «L'Angleterre, mon petit bonhomme. Enfin des gens sérieux. Tu verras là-bas, ça traînera pas.» Je ne pensais pas aller si jeune en Europe. Le soir venu, Zaide est allé sortir la voiture et Herr m'a dit: «On y va, m'sieur le consul. Londres vous attend!» Aux guichets de l'aéroport J.F.K., j'ai vu Doublevay exhiber deux passeports. Il a donc ce qu'il faut pour moi. Je devine que le portrait de son fils perdu me ressemble vraiment. Herr se charge de défrayer le coût des quatre passages vers Londres. En une autre occasion, j'aurais été fou de joie de traverser un océan. J'ai si souvent voulu être *Superman.* Survoler ces pays d'Europe. Ai froid malgré le doux temps de la mi-mai. Si je reviens vivant de mon odyssée, je pourrai dire que j'ai vu du pays, jeune. Il y a plein de monde, ici. Je songe à comment me sauver des griffes de ces pirates. Comment faire? Crier? Vers où aller? Me réfugier où? Vers cet agent de bord, costaud, qui m'a jeté un petit sourire? Sauter derrière un de ces comptoirs à guichets? Au *delicatessen* de Manhattan, l'idée m'est venue. Je regardais, avalant son *smoked-meat,* un Doublevay goinfre. S'est soulevé pour cueillir sur une table voisine un pot de moutarde. J'ai pensé: le temps d'un éclair, je sors d'ici en courant. Il est si gros, court tant après son souffle. On dirait qu'il m'avait entendu penser. Mon faux père m'a dit: «Le fusil que j'ai là, sous le bras, c'est le plus précis au monde, le plus rapide à faire fonctionner.» Il a englouti un quart de sandwich, mâchouillait en riant, gros yeux mouillés, l'un montre une tache écœurante; me fait douter qu'il soit si bon tireur. Ne veux pas courir un risque si grand. Je veux vivre.

Un préposé aux bagages, — on a rien à déclarer tous les quatre —, lit un journal grand ouvert. Surprise!, je vois une photo en page couverture de la maison des Livemann et une photo du consul. J'ai juste le temps de lire: *LIVEMANN'S AFFAIR: NO COMMENTS, SAID ISRAËL.* Le préposé a refermé son journal et s'affaire. Mon histoire doit faire la première page de tous les journaux du monde depuis vendredi midi. Je songe à écrire dans mon livre: Monsieur le Président de l'État d'Israël.

Je suis un garçon comme les autres, j'aime la vie, j'aime jouer dehors. Je n'ai rien à voir dans vos histoires du Proche-Orient. Faites que je sois libéré. Rendu à ma mère et à mes frères. Mon père est décédé, je suis celui qui devra le remplacer le plus tôt possible. Si vous avez un peu de cœur, vous allez accorder à mes ravisseurs ce qu'ils réclament le plus tôt possible. Ma mère est malade du cœur...

Un étourdi. Ça ne sert à rien d'écrire ça dans mon livre. Trop tard. Ce livre sera lu un jour et moi je serai enterré, une balle dans la tête... Me secoue. Faut que je résiste. Je dois faire honneur à mon père disparu, lui qui a toujours lutté pour les autres, dans son syndicat: sorte de héros national, m'a dit le président de sa centrale. Tout faire pour pas me faire tuer. Guetter la bonne occasion. Là-bas, en Angleterre, l'ambassadeur de mon pays? Ils finiront par moins me surveiller. Taxi à Londres. Me réfugier à l'ambassade. Vont croire que je me sens perdu, démuni, ils vont relâcher la surveillance.

6

Avion pour Londres, une hôtesse répétait que je ressemblais à son jeune frère, deux gouttes d'eau. Elle parle avec excitation à mon gros faux papa. Il rigole. Il dit: suis le portrait vivant de sa défunte femme et elle, le portrait vivant de notre hôtesse. Bouche pleine de ses papermannes, lui fait voir une ancienne photo de Mme Doublevay. Apprendre que Doublevay se nomme Wagner. C'est marqué «Mme Wagner, 28 ans» sous la photo. L'hôtesse finit par retourner en arrière. Je n'aurais jamais cru que tant de passagers, un si gros avion puisse s'élever dans le ciel. Un énorme bus. Les vitres font voir noirceur de la nuit sur l'Atlantique. À ma gauche, il y a le chef aux cheveux de fer, Herr. Derrière moi, il y a Zaide, le rouquin. Il feuillette un magazine de sports acheté à l'aéroport de New York. Fait venir sans cesse de la vodka. N'a pas touché au plateau apporté par l'hôtesse. J'ai grignoté un peu. Maintenant toute cette distance entre ma rue Hutchison et ce ciel... «au-dessus de l'Irlande», vient de clamer un haut-parleur, voix virile.

J'oubliais: je laisse au petit Thomas toutes mes pièces de Lego dans le cabanon de la cour et les minibriques qui sont dans trois boîtes à souliers sous le vieux buffet. Je les lui prêtais, c'est donné maintenant. Je suis trop vieux. Croyais pouvoir les réutiliser un jour pour construire un village de l'an 3000. C'est fini. N'ai plus de plans dans la tête, moi «le patenteux perpétuel» disait maman. Le vide. Suis perdu. Je suis une erreur. Ne suis pas l'important petit David Livemann. Des individus crapuleux jouent avec ma vie. Le vrai David, où est-il? On a dû le conduire, entouré de policiers en civil, au chalet d'été des Livemann, du côté de Sainte-Agathe. Terrain immense entouré de gardiens déguisés en cultivateurs. Sain et sauf. Il joue aujourd'hui, avec un ballon de foot? Ou avec son cheval, le beau gris-bleu qu'il m'a déjà laissé monter l'été dernier. Pense-t-il à moi? Juste un peu? A tant prétendu que j'étais son meilleur ami. Me l'a dit cent fois. Sait-il bien que je prends sa place. Qu'il a bien de la chance. Je pense à lui, les autres somnolent. Le jour se fait dans le ciel. David Livemann ne s'en va pas en Angleterre encadré par trois vilains flibustiers. David le chanceux! David que j'enviais si souvent en secret. Un peu plus et c'est lui qui serait ici dans cet avion. Je suis un faux.

7

Herr a hélé un taxi tout noir dès notre sortie à Heathrow, l'aéroport de Londres. Ne comprendrai jamais comment ces trois salauds passent si facilement aux douanes! Près de la vieille gare centrale, Victoria, Herr a pris possession d'une Mercedes. Avons une sorte d'appartement dans l'ouest de la *city,* à Earl's Court. À côté du bloc, je peux lire sur une bâtisse, hôtel George. Décalage horaire franc jour. Ne sais plus l'heure. Ne veux plus rien savoir, ni quel jour, ni quelle heure on est. Oh! ne pas oublier: je laisse tout mon linge, le neuf comme le vieux, à Laurent. Ça devrait lui faire dans moins d'un an puisque maman répète que Laurent grandit à vue d'œil. Le temps de faire tout mon bilan, la fin. Ma fin. Je ne suis pas certain de pouvoir remplir ce gros cahier. Le tiers est couvert de mon écriture, à l'endos des dessins enfantins. Mon feutre jaune refuse peu à peu de laisser sortir son encre. Pourtant je rebouchonne, aussitôt remisé, chaque crayon.

Envie d'y aller en rose. C'est un rose assez foncé pour qu'il puisse se lire facilement. Je déprime vraiment. Alors besoin d'écrire n'importe quoi: bonjour, maman, je t'aimais bien petit

Thomas, je m'ennuie de vous mes amis, Alain, Benoît, Charles. Je ne sais plus quoi écrire. J'écris pourtant. Le faut. Une ficelle, longue corde me reliant à mon passé, ma vie tranquille d'écolier, d'avant le 13 mai, de gamin qui jouait dans les caniveaux inondés par le printemps. Je suis à bout. Herr, le chef, ne cesse pas de téléphoner. Je crois que c'est un polyglotte, il me semble qu'il sait parler anglais évidemment, mais aussi allemand, espagnol, italien. Me semble qu'il a parlé tantôt en arabe. Ai entendu souvent parler le dépanneur du coin en grec. Herr parle grec en ce moment, j'en mettrais ma main au feu.

Ont fait venir des mets chinois. Livreur, garçon de douze ans comme moi! Qui m'a observé. Tout de suite après, pour manger avec eux, le vieux courbaturé vu à New York! Était sans doute dans le même avion. Combien sont-ils dans cette affaire Livemann? Dix? Vingt ou cent? M'en sortirai plus jamais. Me sens une brebis prise dans un filet gigantesque. Mouche engluée dans une toile d'araignée. L'araignée, maîtresse du jeu, reste invisible. Est-ce ce vieillard iodé? Mes trois lascars sont des rouages secondaires, parties sans importance d'un engrenage. Ai froid un peu partout. Mange dans mon coin. Du bout des lèvres. M'efforce de capter des bribes de leur conversation chuchotée. Le vieux a une voix de fausset. Herr parle sur un ton de commandeur. Le vieillard, chaque fois que Herr hausse la voix, lui brasse le bras droit, fronce les sourcils. Zaide me jette des coups d'œil. On m'a installé à l'écart, à l'autre bout de la salle à manger. À la télé, du Walt Disney. Vieux film, château et chevaliers. J'ai tant rêvé d'être un chevalier justicier. Zaide l'ouvre maintenant, un rouleau impérial débordant de choux entre les doigts: «On va pas traîner cet enfant plus longtemps, ça suffit!» Ils se sont tus. Se sont tournés vers moi. J'ai vu une lumière dans les yeux du chef Herr et de Doublevay. Des étincelles de méchanceté dans le regard vert du vieux bossu. C'est lui qui se levait le premier pour venir près de moi. S'est plié en deux, m'a regardé avec un sourire de jocrisse. Je ne pouvais discerner: pitié ou haine? «Alors, petit Livemann? On a fait un bon voyage?» Ai rien dit. Fais le sourd, qui ne parle pas sans l'autorisation de Herr. Mon regard a croisé le sien, il a eu un hochement de tête, il signifiait: «Brave petit, va! C'est ça, une carpe.»

8

Le vieux avait mangé à grande vitesse puis il a sorti un document, l'a jeté au milieu des restes de côtelettes et des platées de riz chinois: «Vous étudiez ça et vous décidez.» Est parti. Personne ne l'a salué. Porte claquée. Je voudrais voir Londres. Aurais aimé jadis visiter ses fameux musées. Mon père disait: «Ils sont fa-buleux!» Voudrais voir Londres en liberté. Aller courir dans ses parcs célèbres, visiter Buckingham, voir la vieille Tour de l'horloge, le pont historique, la Tamise, décors de tant de films vus à la télé. Je ne verrai rien. Aller jouer, rue Hutchison, la cour de Charles, deux arbres enlacés, câbles qui nous font des lianes de Tarzan. Si j'étais *Superman,* m'envolerais, retraverserais l'Atlantique. Au-dessus de ma rue, je crierais: «Maman? Maman? Ne pleure plus. C'est moi! Ton gars, David!» «Dis adieu à Zaide, petit consul Juif!» Herr me secouait sur le divan. Ainsi, ce matin, départ du rouquin. Il quitte Londres? «Tu le reverras peut-être plus jamais notre bon Zaide!» Le rouquin m'a brassé la chevelure. Double-vay prépare le petit déjeuner dans le coin dînette, Herr marmonne ses dernières instructions à Zaide. Je crois comprendre qu'il doit trancher. Qu'il doit être ferme. Je l'implore du regard. Oh oui, que cela finisse, Seigneur! «Si Rome embarque pas? Qu'est-ce que je fais, chef?» «Tu y vas et tu t'infiltres. Ici, il y aura deux, trois, s'il le faut, quatre petits garçons.» Herr avait haussé le ton. Zaide est parti en se frottant les mains. Bon sang! d'autres jeunes otages? Un autre enfant d'ambassadeur? Serons-nous, un jour, dix, vingt? Herr vient inspecter mon livre, son grand cou s'étire, je mets du violet aux arbres d'un zoo où une girafe, elle aussi, allonge le cou. La girafe Herr! Je barbouille la bête en bleu. Herr va s'installer à la table ronde en criant: «Ça vient ce café, empoté?»

«J'ai confiance aux gens de Rome. Ça va barder!», affirme Gros-gras, les mains pleines d'œufs frits, rôties, bacon et patates dans trois assiettes. Il vient déposer sa troisième assiette sur mes genoux. J'ose: «Où il va Zaide? Pourquoi il nous quitte?» Mine de surprise chez faux papa. Regard vers Herr. Ce dernier, la bouche pleine, grogne: «Il va mettre le feu au 10 Downing Street et il ira sonner les pompiers.» Rires du gras Doublevay qui s'en étouffe, installe son derrière éléphantesque qui déborde de sa chaise. Il grogne: «C'est drôle qu'ils passent jamais la photo du petit.» «Ça serait bon pour apitoyer», ajoute Herr le nez dans ses journaux londoniens.

Je mange sans appétit. Je dois d'être encore vivant à la famille Livemann, cachant leur vrai David et jouant le jeu avec les autorités. Que veulent-ils, quelles sont leurs exigences? Cela dépasse la rançon en argent. Ils négocient sans doute un troc énorme, des tas de prisonniers politiques. Des tas!

9

Doublevay voulait m'amener prendre un peu d'air. «Faut le tenir en bonne santé, il vaut cher», a-t-il plaidé en ricanant. Dehors retenir le nom des rues, sans savoir si ça peut m'être utile. Avons monté Court Road, avons marché dans Cromwell Road, dans Glycester vers le nord, Kensington Gardens. Faux papa achète un magazine de saloperies et me fait asseoir près de lui sur un banc public. Il mâchouille et suce ses pastilles: «J'ai un estomac tout croche.» M'offre de ces papermannes d'un blanc de craie. Je refuse. Me garder en bonne santé. David Livemann vaut cher. Ça ne doit pas aller sur des roulettes, puisqu'il leur a fallu se rendre à Londres? Vont-ils m'assassiner demain? Quand? Ou me couper une main? À quel moment vont-ils perdre patience, montrer qu'ils ne rigolent plus? Voix gentille: «Sans rien me révéler d'important, monsieur Doublevay, si je pouvais savoir pour qui travaillez?» Grognement, il se replonge dans son journal. «Vous pourriez me confier des miettes de votre plan? Par exemple avec qui vous négociez? Avec l'Irak? Avec la Syrie? Ou Israël?» Je cherche les lieux géographiques de tous ces conflits dans le monde. Grognements encore, abaisse sa revue, petit sourire malin: «Nous voulons la tête de l'archevêque de Canterbury sur un plateau.» Fait un geste de couteau tranchant, reprend ses cochonneries. Soudain, il jette ça dans une poubelle et se met à vocaliser: «Je chantais. J'étais un fameux ténor. Promis aux plus grands succès! La maffia de Milan a organisé ses sales pressions.» J'imagine faux papa, gueule grande ouverte, gros ventre en avant, dans un opéra italien. «Pourquoi Milan a pas voulu?» A pris de gros yeux tristes: «C'est à cause des petits garçons juifs comme toi!» Se lève, fait quelques pas, écarte les jambes et soudain pousse encore quelques vocalises. À faire fuir tous les oiseaux de Kensington Gardens. Viens se rasseoir en grommelant: «Les Juifs! Toujours eux et leurs sales combines.» Il ne dira plus rien. Me lève et pars à courir. De loin, je le regarde. Il me regarde. Je pourrais fuir? Non, il est allé repêcher son magazine et a sorti son revolver, l'a mis dessous! Nous rentrons. Le ciel de Londres s'est couvert subitement, un vent violent s'est levé. Apeuré, faux papa a hélé un de ces gros taxis noirs de la capitale anglaise.

10

Écris tout ça en noir. C'est plus clair, il fait si sombre ici. Me suis souvenu soudain qu'il y avait mes gros jouets. Je déclare ici, que mon vieux vélo à trois vitesses doit aller à Laurent évidemment, ma luge en bois franc à Simon. La crèche de Noël qui me vient de grand-père à petit Thomas, ça le fascinait tant l'an dernier, que Laurent sache toujours installer mon village de maisonnettes sous le sapin de Noël. J'oublie rien? Les patins à glace? À Simon. Laurent a eu une paire neuve aux Rois, l'an dernier. Mon canif à quatre lames: on devra le faire tirer au sort parmi mes amis, Alain, Benoît et Charles. Qu'ils se souviennent de moi. Quoi encore? Il faudrait, avant qu'ils me tuent que je confie le livre de mon testament à un passant qui aura un air honnête. Sous la couverture, j'ai mis mon adresse au grand complet.

En rentrant, une note signée de Herr. Enveloppe blanche piquée d'une punaise de plastique dans l'embrasure de la cuisinette. Doublevay s'y précipite, la lit. Grosse face de droite à gauche. Sueurs aux tempes. Je dis: «Mauvaise nouvelle, M'sieur?» Il broie la missive d'un geste. Soupire. Lève les yeux au ciel. «Je n'aime pas ça. Herr devait y aller...» Il s'interrompt, puis:

«Je serai seul avec toi, David. Nous serons seuls un bon moment. La faute des Juifs tout ça. Sont pire à Londres qu'à New York. Des brutes!» Il a fait venir deux fricassées d'un restaurant hongrois dans Brompton Road. C'est énorme, j'en mange que la moitié. Lui, il finit par engouffrer tout le contenu des plats d'aluminium. Ses rots! Il avale une autre poignée de papermannes blanches. Ses yeux sont passés au rouge le plus vif. «Je déteste la solitude. Je suis italien, moi.» Wagner? Pas un nom italien, ça! Herr doit être un Américain, un Irlandais peut-être, parle le français cassé des anglophones de mon quartier. Et Zaide? Ce rouquin, un Hollandais? Je l'ai entendu au téléphone. Il parlait comme dans une chanson de Brel. Le flamand? Zaide me semblait le plus attentionné des trois à mon égard! Je dis: «Il est quoi, Zaide? Allemand, ou quoi?» Faux papa éclate d'un rire tonitruant. «C'est un con de nulle part. Pas un pays ne veut de lui. Trop de sang sur les mains.» Rit encore. «Je n'ai jamais aimé les Irlandais. Tous des ivrognes.» Irlandais donc! Savoir l'origine de ces trois brutes. Folie. Oh maman!, j'aurais voulu mieux t'aider. J'aurais voulu vivre plus longtemps, arriver à être plus tard ton vrai bras droit. Quand tu liras ces lignes, si jamais tu y arrives, si on retrouve ce livre, si on l'enterre pas avec moi dans un champ, maman, je voudrais que tu saches que cette épreuve terrible m'a ouvert les yeux. J'étais pas bon. Mes mensonges inventés pour fuir les corvées. Faux prétextes que je sortais au lieu de te secourir dans tes besognes. Je peux le dire maintenant, j'avais honte d'avouer aux camarades que tu étais une femme de ménage. Honte de ma honte. Au moment où je cours un grand risque, où il se pourrait bien que la porte s'ouvre dans ce miteux appartement de Earl's Court et qu'un vieillard bossu m'abatte d'un coup de fusil en pleine tête, je regrette d'avoir eu honte de ma mère. Mes frères, je vous en prie, je vous en supplie, n'ayez jamais honte de maman. Aidez-la, manquez jamais l'école, étudiez. Soyez curieux. Ouvrez les encyclopédies laissées par notre père disparu. Devenez instruits et riches. Un jour, sortez maman de sa misère. Vengez-la un jour du mauvais sort qui s'est abattu sur elle, qu'elle puisse être fière de ses trois fils qui lui restent.

Ça m'a fait du bien. Ai pleuré. Silencieusement. Gros-gras regardait la télé, soudain il s'est levé tout raide, le lecteur déclarait pendant qu'on voyait défiler des images de Parlements: «Dans l'affaire de l'enlèvement du fils du consul Livemann, c'est le désarroi. Les ravisseurs ne donnent plus aucun signe de vie.» Et j'ai vu ma photo à moi! Pas celle de David Livemann! Me suis levé à mon tour, j'ai crié, c'était plus fort que moi: «C'est pas moi! C'est l'autre! Je suis pas le fils Livemann. Mon nom est Lange! David Lange!» Doublevay m'a dévisagé. Blanc comme un drap. Je venais de me condamner. Les yeux sortis de la tête, Doublevay tentait de reconstituer les maudits mots que je venais de crier. J'étais perdu! Je n'avais pas réfléchi.

11

Petite maman, jamais j'aurais cru pouvoir faire un tel geste. Effrayant! Faux papa est mort! Du sang coule sur le sol. De son large estomac. De partout, il me semble. Le vieux tapis de l'appartement est tout imbibé. Ai tremblé de longues minutes. J'étais pétrifié. Il avait voulu que je répète ce que j'avais crié. «Je ne suis pas le fils Livemann. Je suis Lange.» J'ai joué l'idiot qui comprend rien. J'ai ri, ai grimacé. Ai feint une crise d'épilepsie et il a eu un sourire diabolique, changé en un rire terrifiant. Étais pas rassuré. «Je comprends maintenant les lenteurs. Le coup s'était éventé et on a mis ce garçon-potiche à la place du précieux butin? Herr va régler ton cas, il va rentrer. Je vais l'avertir tout de suite.» Il signalait le numéro... Maman, n'avais pas le temps de réfléchir. Je suis le premier surpris de mon geste. Crois-moi. Ton petit David, douze ans, le revolver du Doublevay-Wagner dans ses deux mains! J'ai tiré! J'ai tiré une deuxième fois. Doublevay s'est tourné vers moi, récepteur collé à l'oreille. Le regard qu'il m'a fait! Une seule grimace qui n'en finissait plus. Il a craché toutes ses papermannes, a soulevé sa carapace, debout, a lâché le téléphone, et est tombé raide mort. J'ai refermé l'appareil. Il avait eu le temps de parler. Je savais que l'autre allait surgir. Ai voulu m'enfuir, aurais couru dans le soir brumeux de Londres. Ne plus hésiter un instant. Derrière les tentures, l'impression d'apercevoir la silhouette de papa sur le balcon de l'appartement. Me suis précipité dans le couloir, vers l'ascenseur qui semblait bloqué, ai filé vers la sortie de secours au bas de l'escalier, le concierge m'attendait! Revolver en main. Aurais-je dû garder celui de faux papa? Tirer aussi sur ce concierge? Trop tard! M'a dit: «Où allez-vous mon garçon? Venez. Remontons. Il y a eu du vacarme chez vous tantôt, cher monsieur Livemann.» J'avais compris, ce concierge est lié à l'enlèvement du fils du consul. Lui aussi?

Feutre brun. Le feutre caca. Suis dans la merde. Maman, si tu finis par mettre la main sur mon cahier à colorier tu te diras qu'au moment où je rédigeais ces lignes, j'ai cru voir «arriver» ma toute dernière heure. Le concierge de l'immeuble d'Earl's Court est un grand fouet, se nomme «Dickerey», quelque chose comme ça. C'est Herr, le chef, qui a fait entendre ce son de Dickerey. Ce concierge maigrelet m'a tenu par le gras du bras et reconduit au quatrième étage. N'a pas voulu prendre l'ascenseur de l'immeuble, crainte de croiser d'autres locataires. A poussé du pied la porte que j'avais laissée entrouverte, il a foncé vers la mi-salle à manger, a vu le cadavre de Doublevay. Homme pas émotif. Il n'a rien dit. Pas un mot. M'a menotté à une patte de la table. Il a donné un coup de fil. Je crois qu'il parlait en italien. Pas sûr. Je suis resté, la tête couchée dans mes bras, une longue heure. Je m'efforçais de penser aux moments heureux quand j'étais... un enfant. Oui, un enfant, maman.

M. Herr s'est amené enfin. Calme. Habitué des carnages sans doute, à la vue de son comparse baignant dans son sang. M'a mis la main sur une épaule. A eu un bref ricanement. S'est assis en face de moi: «Ce gros vicieux! Ça l'a repris?» Il est allé donner un coup de pied au mort, est revenu, m'a tapoté une joue d'un geste distrait, m'a jeté un mince sourire: «Tu sais pas, pourquoi ce gros lard a perdu sa femme et son fils, l'enfant qui te ressemblait?» Le concierge, l'air de savoir, a poussé un: «Le gros con», s'est allongé sur le divan, a débouché une cannette de bière. Herr, sa manie, a placé et déplacé sa longue couette de cheveux gris derrière une oreille. «Je sais ce qui est arrivé.» Il a voulu te faire une passe vicieuse. C'est un pédé dégoûtant. Je m'expliquais sa gentillesse occasionnelle avec moi. Le peu de bonté qu'il m'avait tout de même manifesté. Herr a gueulé: «Au fond, tu nous débarrasses de ce porc encombrant.»

J'écris toujours au feutre brun. Herr m'a mis de nouveau les menottes. Suis resté bouclé d'une main à la tête du lit du disparu, Doublevay. Je préférais ça. J'ai tué. Dickerey est revenu, plus énergique que son aspect malingre peut le faire croire. Ont enveloppé mon mort dans une énorme feuille de polythène. L'ont transporté, je suppose, par l'escalier de service. Tard, Herr est remonté essouflé. A marmonné en confiance: «Dickerey est un homme solide. Il devrait poursuivre avec nous.» Ai dit: «Est-ce que ça va se poursuivre longtemps, M'sieur?» A semblé surpris. M'a fixé de son regard bleu-gris: «Nous irons faire un tour de ferry-boat. Ta dernière nuit à Londres, mon petit consul.»

12

En ce moment, feignant toujours de colorier, je tente de deviner vers quel horizon ce bateau plein de voitures nous conduira. L'Irlande? J'imagine le Zaide, irlandais, nous attendant dans un port louche. Allons-nous plutôt vers le Pays de Galles? Ou en Écosse? Peut-être au Groenland? J'ai demandé, hier, avant le coucher: «Pourquoi ma famille refuse de payer?» La candeur. Herr: «Les ambassadeurs sont les hommes les moins libres du monde, ton papa comme les autres.» Maman! Je découvre que ça vaut rien d'être le fils d'un important personnage. Serais-je le fils d'un Président de république quelconque, celui d'un prestigieux Premier ministre, cela ne m'aiderait en rien, pris dans une souricière qui me dépasse. Je tremble chaque fois que je me revois avec le fusil de mon faux père. Comment avouer cela? Avoir assassiné ne m'empêche pas de me sentir un garçon normal. En suis effrayé. Ça explique ces tireurs à gages qui récidivent sans cesse? Jusqu'à ce que la police les coffre. Sinistre leçon pour un garçon qui n'osait même pas lever la main sur Laurent quand il me fauchait mes affaires. J'ai déjà hésité à tuer une mouche! Moi l'assassin de Doublevay. *Je est un autre?*, comme répétait papa!

Sur le ferry-boat, Herr: «Si on revoit l'ami Zaide, petit bonhomme, il te félicitera pour ton beau travail. Il détestait le Doublevay! Tu nous a débarrassé d'un gros porc.» Bien disposé, le chef m'a appris que nous traversions la Manche. Que nous allions en France et que c'est à Paris que tout devrait se conclure rapidement. M'a dit: «La France peut faire des pressions importantes. Tu reverras ton papa consul bientôt.» Ce matin, la Mercedes, nous avons d'abord roulé jusqu'aux falaises de Dover. Embarquement en vitesse, voiture comprise, vers Calais. Juste le temps de manger sur un pont dans une belle salle à manger. Herr a changé. Il porte une perruque châtain clair. On dirait qu'il a vingt ans maintenant. «Je te fais confiance. Si tu collabores, tu seras délivré plus tôt.» Chef gentil ça. Avant de partir, ce matin, il m'a ajusté la ceinture à revolver de Doublevay et y a mis, dans son étui, le revolver. «Un P.38, cadeau d'Abou Nidal, gros travailleur à Rome» m'a dit Herr, comme si je connaissais ce Nidal! «Évidemment, il est vide. Mais tu pourras faire peur aux vilains pédés avec ça.» Je dois changer terriblement vite. J'éprouve une sorte de fierté à porter sur la peau, sous mon coupe-vent et ma chemisette de *Superman,* le revolver de mon mort. Ai vieilli d'un coup sec! Est-ce que je joue aux cow-boys? Est-ce que je deviens un enfant tueur? Peur de moi. Je sais qu'il est facile d'abattre un ennemi.

La Mercedes sortait du ventre du bateau, le vent soufflait fort, des goélands gueulaient et volaient en rase-mottes autour des quais. Me suis cru dans un rêve. Un gamin de douze ans, installé dans une voiture luxueuse, aux côtés d'un chef au regard d'acier, aux mains effilées, qui a enlevé sa perruque à Calais. Avons roulé vers l'est, traversé Arras, plein sud, on roulait vers Paris. Herr a mis des cassettes, des musiques arabes. Il m'a dit: «Je me suis converti à l'Islam. Je suis devenu musulman, je prie souvent Allah!» J'écris ceci rue des Saints-Pères dans une chambre d'un petit hôtel du même nom. M'sieur Herr se dit mon oncle. Il a sorti le passeport me montrant comme étant le fils de M. Wagner que j'ai tué. Ça me fait drôle. Avoir tué mon père! Je change, oui. Je n'aime pas ce que je deviens. Mon endurcissement. Je me sens vraiment devenir autre. Voyage. Vers mon destin. Paris fait voir d'abord sa grosse tour métallique et ça m'a donné un coup au cœur. Si Alain, Benoît, ou Charles m'avait vu, moi à Paris! J'écris au feutre bleu, il me semble que ça va avec Paris, avec la France. Bleu clair. On a mangé une soupe aux oignons dans la rue De Sèvres, pas loin. Revenus à l'hôtel, Herr encore sur le téléphone. Je me suis couché tôt. Ne m'a pas attaché. Parle tantôt en italien, tantôt en... en arabe, je crois. Me suis endormi rapidement. Ma nouvelle façon de me sauver de cette histoire. Ai fait un rêve. Voyais tout comme si j'étais grimpé dans un arbre de la rue Villeneuve. Il y avait des gens, vêtus de noir. Entraient dans le salon mortuaire de la rue Laurier, coin De l'Épée. Certains visiteurs me faisaient des petits signes d'amitié. Étais-je mort moi-même? En planant, je suis entré et j'ai vu ma mère. Ma mère étendue dans son cercueil. Des oncles, des cousins, tout le monde pleurnichait avec discrétion. Est-ce une prémonition? Maman n'est pas en bonne santé depuis la disparition de papa. Cette histoire, mon enlèvement, se peut bien que maman soit morte au moment où j'écris, en bleu. Ma mère morte? De chagrin. L'angoisse l'aurait terrassée.

Laurent, c'est à toi que je m'adresse. Que vas-tu devenir? Où irez-vous habiter, pauvres orphelins? Chez tante Gertrude à Verdun? À Sherbrooke, chez l'oncle Léo? Au lac chez grand-papa? Laurent, quand tu liras ces lignes, je serai peut-être mort et enterré. À toi, l'aîné qui me survivra, je voudrais dire des choses graves. Te confier le plus important des choses de la vie. Mais je suis trop jeune, Laurent. Tu t'imaginais que j'étais un savant. Tes moqueries. Croyais que papa m'avait confié des secrets de haute importance, fait des confidences vitales. Non, mon pauvre Laurent! Je ne sais pas comment il faut parler avant de crever. Ce qu'il faut dire à un garçon de huit ans! M. Herr a évolué depuis que nous sommes à Paris. Presque aimable. Je lui ai demandé: «Votre vrai nom, vous me le direz?» M'a regardé avec un soupçon d'affection. A allumé son cigare. Oui, désormais, il allume ses cigarillos! Fini son mâchonnement bizarre. Porte maintenant une perruque noire. Est-ce une perruque? En tout cas, ça le vieillit. Un jour, il est entré dans une tabagie, rue du Dragon et s'est procuré une pipe. Ça lui arrive de fumer la pipe. Pour se changer l'allure davantage. J'ai reposé ma question ce matin, boulevard Saint-Germain et rue de Rennes. Pas de réponse. Il a fait le sourd d'abord. Puis, il m'a dit soudain: «Je fumais la pipe quand j'étais jeune. Mon vrai nom est Roger Robert. On m'appelait aussi Robert Roger. C'est Herr, mon nom de code. Ça mélangeait les gens, deux prénoms. Herr, c'est simple, facile à retenir.»

13

J'y pense, je veux qu'on donne à Simon, qui aime déjà lire, les romans de Victor Hugo que papa m'avait donnés, qu'il avait reçus de son père à lui. Grand-papa les avait eus de sa mère. L'arrière-grand-mère, Albina, qu'on n'a pas connue personne. Ai pensé à Hugo parce que Herr, alias Roger Robert, m'a amené hier aux catacombes de Paris. J'ai songé à ce roman *Les misérables*. Je me suis vu en Gavroche, ce vaillant galopin de 1871. En nous rendant près du quai d'Alma, on a croisé deux gendarmes parisiens. Ils marchaient si vite, que j'ai pas eu le temps de me décider: les interpeller? Crier «au voleur d'enfants»? Me jeter dans leurs jambes, me délivrer de Herr à jamais? Pouvoir rentrer chez nous. Peur qu'Herr m'abatte. Peur que ça tourne mal pour moi. Ai baissé la tête, filant doux. Herr a les cheveux gris de nouveau. Est-ce une perruque?

Péniche à touristes, peu de visiteurs pour ces réseaux d'égouts. Une femme, cheveux très noirs, a d'abord parlé à Herr, accent espagnol, s'est approchée de moi, m'a fait une caresse dans les cheveux: «C'est ça le petit consul?» A remis une grosse enveloppe à Herr-Roger-Robert. L'a fourrée sous son imperméable tout mouillé. A plu abondamment ce matin. «Tu aimerais voyager avec moi, petit bonhomme?» J'ai regardé Herr-R.-R. M'a jeté un drôle de regard, ne savais trop quoi répondre. En ai par-dessus la tête de vivre ballotté, d'étranger en étranger. Pourquoi le consul Livemann ne crache pas? A-t-il reçu des ordres? Il doit s'agir plutôt d'un échange. Moi contre quoi? Contre qui? Contre combien de gens? Dix, cent? Moi, faux David Livemann, combien de prisonniers je vaux? Pas même un, a peut-être décidé ce pays, sans doute Israël, d'après le peu que j'ai appris.

Je tente de ménager mes mots, l'espace de ces pages de ce livre. Oh! Je veux léguer à Thomas, pour quand il sera grand, mon jeu de physique et de chimie, importé de Hollande, qui est dans le super perfectionné. Me semble que le benjamin aura des dispositions scientifiques, il fouille déjà partout, démonte déjà ses jouets, est si curieux et si débrouillard. Mourir, ces truands découvriront que je suis le garnement d'une femme de ménage, ou, longtemps encore promené à travers le monde. Le matin, hypernerveux. J'ai des tics. Le soir venu, je me sens comme... quoi donc?, plus libre? Je ne savais pas qu'au bord de mourir on pouvait se sentir léger. Débarrassé de je ne sais quoi au juste. De tenir tellement à la vie? La femme se nomme «Mira», j'ai entendu Herr prononcer son nom. Ne cesse d'avoir des secrets avec elle, seuls à l'arrière de cette barque curieuse, l'attirant près de lui, d'un geste autoritaire. Ils discutent fermement. De quoi? De mon avenir? Du silence des interlocuteurs? Ai dit à Herr, dans la Mercedes, quand on roulait, grosses collines de charbon, dans la région d'Arras: «C'est quoi votre métier, m'sieur Herr?» Il m'a dit: «Négociant.» Ai compris qu'il me négociait ces temps-ci. Avais ajouté: «Avec qui vous négociez?» M'a dit: «Avec votre cher papa, le consul, et ses supérieurs.» Chambre de l'hôtel des Saints-Pères, ai osé lui dire: «C'est quoi le vrai nom de l'homme que j'ai abattu?» Il m'a dit: «Une crapule vicieuse. Oublie-le. Je te l'ai dit, tu nous a rendu service.» Ai répété: «Son nom à mon faux papa, c'était quoi?» M'a dit: «Est-ce qu'il a voulu te tripoter dès qu'il t'a coloré les cheveux ou en promenade à Londres?» Envie de mentir: «M'a fait des propositions.» Mon père disait: «Si un homme te fait des propositions, cours.» Herr a fini par me confier: «Il t'aurait pas proposé un pacte? Il nous a déjà joué un sale tour. Ce maniaque faisait passer son vice avant les affaires.» Ai gardé le silence.

Le ton a monté entre cette Mira et Herr-Robert. Elle a quitté la péniche. En colère. Sommes rentrés à l'hôtel. On a mangé du saucisson, des fromages près d'une fenêtre. Herr turlutait. J'en étais surpris. Un autre ténor? Comme ce gros W. Wagner. Herr chantonnait plutôt des airs de gigues. J'ai pensé à grand-papa Lefebvre, le père de maman, qui vit à la campagne. Mangeant vite, Herr s'est étouffé. Est devenu tout rouge, est allé cracher dans le bidet puis il m'a dit: «J'étais petit, mon père me faisait danser, il quêtait des sous. Jouait du violon.» Ai dit: «Où ça, m'sieur?» M'a dit: «À Dublin, au pays des fables et des chansons.» J'ai vu ses yeux se mouiller. Ai voulu profiter de son attendrissement. «C'était qui au juste le père du garçon qui me ressemble tant?» Herr a grogné: «Ce gros pédé a perdu son fils, sa femme, tout. S'est fait pincer dans un parc de Sydney, en Australie.» J'ai dit: «Vous voulez pas me dire qui il était?» En savoir plus long. Je tolérais mal que mon premier mort reste un inconnu. Il a fini par me cracher: «Il s'appelait Paul Wagner et que le diable l'emporte maintenant. Il doit rouler dans les eaux de la Tamise, boursouflé, payant cher sa manie des petits garçons. Il était, pour les machins électroniques, très fort.»

J'ai tué un dénommé Paul Wagner, gros bonhomme aux cheveux gras qui suçait sans cesse des papermannes. L'ai tué et ça ne me fait rien. Ai vieilli. Ai compris qu'on doit tuer pour sauver sa vie. On m'avait jamais dit ça à l'école. Pas même papa qui tenait à tout m'enseigner aussitôt que j'ai pu me tenir sur mes jambes. Arrive mal à croire que j'ai tiré dessus! Inquiet à mon sujet. Me sens vieillir. Est-ce que je tuerais aussi ce Roger Robert s'il apprenait que je suis pas le fils du consul? Pourrais pas, il me semble. Chaque matin, j'ai mal partout. Je ne mange presque rien, au réveil, estomac creux, ventre vide, je n'ai jamais faim. En attente. Le téléphone sans cesse, sonnait moins à Burlington ou à New York. Même à Londres. Chaque fois, le cœur me saute dans la poitrine, me dis: «C'est la fin!» Quelque part, un important dit à Herr: «Oui! Nous payons.» Non! Déception affreuse, chaque fois Herr raccroche, fulmine, grince des dents.

14

«Une petite balade, mon garçon», a dit Roger Robert, alias Herr. Cette fois, semble excité. Vient de raccrocher l'appareil téléphonique sans grogner. Mon Dieu, faites que mon cauchemar s'achève. J'écris en violet. Ça va mal pour moi. Rien ne s'arrange. Ça ne se terminera donc jamais? Avec Herr on va descendre encore dans un souterrain, sous Notre-Dame de Paris. Mais d'abord, sommes montés dans une des deux tours de Notre-Dame. Je me souvenais encore d'un livre de M. Hugo. Je fantasmais. Mira, qui était là, était une Esméralda. Le bossu du roman, c'était ce tout courbé. Le vieillard iodé de New York et de Londres! Était à ce rendez-vous. M'a fait un grand sourire. Herr, alias Roger Robert, a grogné quand il l'a vu arriver. Le bossu m'a offert un gâteau plein de crème. J'étais un peu soulagé. Cette bonne humeur. Me disais: c'est la fin. Dans une des tours, près des gargouilles d'un clocher, voilà le concierge de Earl's Court. Dickerey donne un étui à violon au tordu de l'hôtel Milford et ce dernier lui remet une enveloppe verte. Dickerey, lui aussi, m'a fait un sourire. Je me disais, tout va enfin s'arranger pour moi. Tant de sourires. N'y avait que Roger Robert de méchante humeur. Dickerey est resté dehors à nourrir des pigeons, le vieillard nous a entraînés vers un musée, celui du Paris antique, enfoui sous le parvis de la cathédrale. Des ruines. Il n'y avait que deux petites vieilles, loin, qui actionnaient les panneaux lumineux pour expliquer le Lutèce d'antan.

J'ai pu assister à un revirement de situation. Le crochu a dit à Mira: «C'est à vous que je confie mon violon, Mira.» Mira m'a jeté rudement: «Toi, le p'tit consul, tu restes avec moi.» Elle a ouvert le boîtier, a sorti une mitraillette et a tiré sur Herr. Sa longue mèche de cheveux acier a volé en l'air. Il a crié: «Mira? Salope!» Les deux touristes s'étaient jetées sur le sol. Mira et le tordu jaune m'ont entraîné dehors à la vitesse du son. Une voiture nous attendait, conduite par Dickerey. On a roulé vers l'autoroute du Soleil. L'enfer de nouveau, maman! Je pleurais.

J'y pense: il y a ma guitare offerte par tante Gertrude. La donne à Simon, me la réclamait si souvent. Il scie du fer, n'a pas d'oreille, mais «Il chante juste»; maman le répétait. À lui ma guitare. Sois heureux, mon petit Simon, et qu'il ne t'arrive jamais une telle mésaventure.

Sortis de la capitale, Mira a pris le volant; le crochu jaune faisait de longues caresses sous sa jupe de cuir bleuté. Vieux satyre? Dickerey est assis à mon côté en arrière de la Mercedes. J'ai lu Mâcon sur un panonceau de l'autoroute, on a viré. «Mâcon, ville du grand poète!» a murmuré le vieux jaune qui se nomme, nom codé?, «Jeff». Je mets deux f car chaque fois que Mira l'interpelle elle fait vibrer le f. Je dis à ce Jeff: «Quel grand poète?» Sais peu de choses. Je voulais m'instruire, tout apprendre. Voulais faire le tour du monde à cinq ans. Grand-papa Lange le promettait, ce tour de la planète: «Quand tu auras dix ans», il répétait. Un jour, a dit: «Quand tu auras quinze ans!» Plus tard, il avait dit: «À vingt ans, je t'amènerai autour du monde.» Je voyais bien qu'il prenait des distances, et je savais que ses affaires marchaient de plus en plus mal. Papa, j'avais quatre ans, m'avait dit: «Ton papi est un rêveur, David. Un pauvre lunatique.» C'est commencé, mon long voyage. Pas comme je l'imaginais. J'ai vu Paris et Londres. Ai tué un gros gaillard avec un P.38. J'ai fait ça. Que suisje devenu, maman? J'ai vu Londres, j'ai vu Paris, sans mon papi.

J'ai rien vu que la violence! Ne suis qu'un objet d'un obscur marché. J'ai peur. Il y a une chose: embarqué dans une telle aventure, vous vous découvrez une sorte de calme. Je savais pas qu'on peut rester calme quand on est dépassé par les événements. Quand vous n'avez aucun droit sur votre vie. Ma petite vie qui commence plutôt mal. Aurais-je un jour treize ans?

Lamartine, tel est le nom du grand poète qui vécut ici, à Mâcon. «Ô lac!», récitait papa qui aurait aimé être poète. Il le savait par cœur. Papa disait qu'il était en train de rater sa vie. Je ne comprenais pas son dépit. Il voulait que j'apprenne, moi aussi, «Le lac» de ce monsieur Lamartine. Maman lui répétait: «Tu le forces!» Il m'ouvrait ses tomes d'encyclopédie et me disait: «Toi, David, tu auras la chance de faire ce que tu voudras de ta vie. Je vais t'y préparer.» Pauvre papa! Le cœur déglingué et mêlé sans cesse à de violentes querelles pour les droits de ceux-ci et de ceux-là, faisant, un jour, grève de la faim, un autre jour, organisant, dans la capitale, des marches de protestataires. Quand je suis né, en 1978, un quatorze juillet, il revenait de loin. En 1970, m'a dit papi Lange, il s'était réfugié à Cuba. Maman voulait pas qu'il parle de ce passé. J'avais deviné qu'il était allé trop loin, huit ans avant ma naissance. Dickerey a pris la voiture et a dit: «Si vous me revoyez pas, sonnez l'alerte jaune à la Centrale!» Ai pas compris. Jeff, le bossu, et Mira ont loué deux chambres. On m'a permis de voir mon passeport. Je me nomme donc Klaus Wagner! C'est vrai qu'il me ressemble, le fils de Doublevay-Wagner. Il porte des lunettes, le fils de mon assassiné, et j'espère ne jamais le rencontrer, qu'il vit à l'autre bout du monde. À New York, Herr m'avait acheté des lunettes. M'avait recommandé d'arborer l'étui à lunettes en le fixant, bien en vue, à un gousset de mon blouson.

Lamartine! Voilà que le jaune Jeff récite «Le lac» lui aussi, à tue-tête dans ce pauvre hôtel de la rue Gambetta près des quais du Rhône. Est ridicule, poursuivant Mira, main sur le cœur, déclamant façon grandiloquente. Je l'entends qui raconte à Mira que son père fut fusillé par un macoute duvaliériste. Qu'il était né, lui, à Montréal. Que sa mère était une beauté rare, née à Fort-de-France, en Martinique. Qu'il est laid, le visage tout croche, une joue plus haute que l'autre, le nez de travers, genre ex-boxeur, babines gonflées. Tignasse à reflets d'un jaune-vert. A dû se teindre les cheveux trop souvent. Lui aussi, négociant comme Herr? Un homme qui change de nom et d'aspect. A de longs ongles violacés, une bête de l'Apocalypse. Une de ces bibittes effrayantes qu'on offre aux enfants amateurs d'horreurs caoutchoutées. Mira vient de raccrocher et dit: «Ça marche. On va passer en Suisse. Tout va s'achever enfin!» Mira a dit ça avec un sourire exalté dans ma direction. Pourvu que ce soit la vérité. Ne veux plus jamais tuer un salaud. Quand vous lirez ceci, quelqu'un, quelque part, sachez que j'étais épuisé de toujours essayer, de comprendre de quoi j'étais l'enjeu. M'ont attaché à un calorifère mais ont laissé la porte communicante grande ouverte entre les chambres. À l'aube, la Suisse! Fin du cauchemar? Jeff a dit: «Le p'tit consul? Qu'est-ce qu'on fera de lui? Comment va-t-on le ré-expédier?» Mira n'a pas répondu. Est venue fermer la porte de séparation, l'ai entendue qui riait à gorge déployée en train de se faire tripoter. J'écris. J'écris. Une bouteille à la mer, inutile, cela me soulage. Je me dis qu'une fois mort, il restera ce gros cahier tout griffonné.

Si ça ne doit pas finir trop mal, je serai abandonné au milieu d'une ville inconnue de Suisse. J'irai à une station de police. Je m'y vois: «Bonjour! Je suis David Lange. On m'a enlevé par erreur, croyant que j'étais le fils d'un consul d'Israël. On vient de me relâcher. Comment puis-je rentrer à la maison?» La tête que fera le chef de police! J'écris en brun, le violet est à sec, je l'ai jeté. C'est le troisième feutre que je jette. Ce cahier s'achève. Précautions pour que mes ravisseurs ne sachent pas que j'écris. Est-ce que tout s'achèvera, comme par magie, quand je serai rendu à la dernière page? Il me faudra réclamer un deuxième cahier à colorier? En serais désespéré. Mira et Jeff ne savent rien des enfants, à leurs yeux ne suis qu'un innocent. Ils s'adressent à moi comme si j'étais un bébé. Par exemple, la Mira: «Tu aimerais ça que tatie Mira t'achète un jouet?» Me prend-on pour un arriéré mental? Après une heure, Jeff l'iodé est venu rouvrir la porte et il m'a détaché. «On va aller manger un petit morceau.» Au restaurant de l'hôtel, j'ai dit: «Moi, gentil Klaus Wagner, aimerait bien savoir pourquoi, vous avez tué Robert Roger?» Se sont regardés. «Tu sais son nom?», a dit un Jeff étonné. J'ai osé: «Oui. Et bien d'autres choses encore. M. Roger m'a parlé franchement.» Les inquiéter. Mira a paru s'énerver. Cheveux jaunes a fait: «Il invente. Du bluff!» Mira a dit: «Son vrai nom, c'était Raymond quand il militait à l'UDF, à Johannesburg. Raymond Rolland. Pas Robert Roger.» Jeff a ajouté que ce Rolland était connu au Chili, sous le nom de Réjean Riopelle, ensuite se serait fait appeler Rolland Rochon avec les Kurdes du ERNK. N'y comprenais plus rien. Mira a dit: «Son nom était Rex de Rio avec les chi'ites libyens.» Herr le multiple? Une mascarade perpétuelle. Mes gardiens s'engueulent ensuite, très embrouillés dans le sillage de Herr-R.R.R.R. mitraillé sous Notre-Dame. Je fais comme si je n'existais pas mais j'écoute de mes deux oreilles. Ainsi ce RR a négocié dans toutes sortes de mouvements clandestins. Pour quelle cause au juste suis-je l'enjeu? J'interromps: «Vous, m'sieur Jeff, madame Mira? Vous négociez pour qui ces temps-ci?» Stupéfaction. Mira m'a donné une gifle retentissante. Trois clients, derrière nous, se sont retournés. Si je m'étais mis à chialer? Faire une scène d'hystérie? Ils en auraient été bien embêtés! Non. Je dois filer doux. Sinon sur un quai désert de Mâcon: pif! paf! Plus de David Lange sur la planète!

15

Maman: si tu vis, si c'est faux mon songe prémonitoire à ton sujet, si tu lis mon livre, je veux que ma maison dans le gros saule derrière le chalet de grand-père à la Minerve devienne la propriété du benjamin Thomas, ça lui fera un fameux souvenir de son grand frère. Elle m'a pris plusieurs étés, tu le sais, maman. C'est «un p'tit chef-d'œuvre de constructeur», répétait le père de Benoît. J'oubliais, Laurent, je te charge de donner à mon ami Benoît, en souvenir de moi, mon rouli-roulant, il en a pas. Toi seul sait où je le cachais. Sa tante Simone disait: «C'est une chance pour mon filleul de t'avoir comme ami, tu es si savant.» C'est à papa, mort trop tôt, que je dois ça.

Feutre brun donc. On a filé dès l'aube vers Bourg-en-Bresse dans une BMW très usagée. La dernière affiche que j'ai vue disait: nationale 79, et je me suis endormi. La nuit, je dors mal, me réveillant pour une simple porte qui claque. Revoir ma chambre, celle que je partage avec Laurent, au 4903, Hutchison. Il dort dans mon lit. Je cherche dans le noir. Non! Je suis seul, supposé fils de consul, qu'on cesse pas de traîner de ville en ville. Je ne sais pas quel signal on attend pour m'abattre: gibier inutile. J'ai toujours l'impression que ça va très mal finir. Je pleure souvent. En sursis. Ma vie s'achève trop tôt. Intolérable. Maman, tu disais: «Pessimiste comme ton père, David!» Je voudrais bien être optimiste, mais Jeff tripoteur est d'un sinistre. Mira de cuir tire de la mitraillette comme pas une. Aura-t-elle pitié de moi qui n'ai pas travaillé dans ces UDF, ENRQ, ETA, IRA, FLC, FLB quoi encore de ces sigles mystérieux? Un lièvre perdu, un lemming de laboratoire. Rat blanc condamné. J'écris, en brun. Spacieux appartement de l'hôtel Excelsior à Montreux, en Suisse. Ça me change des petits hôtels crasseux, comme celui de Mâcon. Il fait resplendissant. Du balcon il y a une vue sur un joli lac. Qui se nomme Léman, m'a dit une Mira en forme. Jeff de bonne humeur lui aussi. Il m'a dit: «Tu pourras dire que tu as vu les Alpes, juste en face, c'est Évian et ces hautes montagnes blanches, les Alpes!» Ai mangé du bout des dents, n'aurai plus jamais d'appétit. L'affreux couple me paraît confiant. Dénouement? Lequel? Dormant dans un lit étroit apporté par un employé hier soir, j'ai entendu leurs gloussements, leurs râles. Le Jeff couchait avec Mira. Comment elle peut? Tellement repoussant, édenté, yeux sortis de la tête, injectés de sang. Vicieuse cette amazone aux cheveux d'un pourpre aveuglant. Perruques? Teinture?

Hier après-midi arrêt obligatoire à la frontière Suisse. Plus jeune je m'imaginais que c'était une terrible affaire que de traverser la frontière d'un pays. Idée d'enfant. Le douanier suisse a jeté un coup d'œil aux passeports et grand geste: «Allez-y!» Ai failli crier. M'étais dit: la Suisse est un pays neutre, anti-guerre, le bon endroit pour être délivré et rapatrié bien vite. Me suis retenu. Sûr que cette grande biche à bottes doit avoir sous la main, dans son grand sac, un pistolet muni d'un silencieux. Pif! et ils filent se cacher chez tous ces planqués. J'ai l'impression qu'un peu partout il y a de ces comploteurs. Une longue chaîne aux anneaux bien reliés. Un disparaît, un autre sort de l'ombre. Pour Herr qu'on abat, une Mira apparaît, un Jeff se ramène. Je suis perdu, ma pauvre maman!

16

Feutre vert. L'espoir. Je devrais écrire en noir. Un mort! Un de plus! La géante Mira faisait sécher sa longue chevelure, maintenant d'ébène, sur la terrasse de l'Excelsior. Soleil. Chantonnait une sorte de tango, séchoir à la main. Se tortillait le derrière, mots espagnols dans l'air doux de mai. Je regardais un bateau au large. Promeneurs se baladaient le long du rivage dans un sentier tout bordé de bosquets fleuris. Beau, mais le cœur gros. Il n'y a pas de vraie beauté, arraché de chez soi, perdu, menacé: l'enjeu impuissant des malfaiteurs. La beauté s'affadit, devient amère. J'ai songé à tous ceux qui furent pris, comme moi, dans des histoires d'otages. Le vieux désossé est rentré de courses. Lui a arraché son séchoir. A dit: «Va te promener avec lui. Rome va téléphoner.» Elle est allé se vêtir. Chandail poilu, rose, sorte de chatte gigantesque. A enfilé d'un geste une mini-jupe brodée de figures comme mon père m'en montrait, au chapitre mexicain de son volume sur les arts primitifs. Elle m'a tendu la main, j'en ai plus peur que jamais! J'arrêtais pas de la revoir mitraillant le Herr-Roger. Elle m'a mené vers l'ascenseur. Hall de l'hôtel, s'est penchée vers moi: «Jouons à la maman et au gentil garçon.» N'ai pu m'empêcher de faire une grimace, l'a vue et m'a administré une gifle rapide, m'a traîné quasiment vers une des terrasses-escaliers. Mira possède une force de lutteuse professionnelle.

Un grand secret, cet appel téléphonique, concernant sans doute mon avenir, Jeff avait voulu me voir loin. Décidait-on d'en finir avec moi? Marchant entre les massifs de fleurs, je songeais à tous ces gens de l'autre côté de l'Atlantique qui ne faisaient rien pour ma délivrance. J'ai pensé encore à tous ces détenus, au Liban ou ailleurs, qui se désespèrent durant des mois, parfois des années. Suivre ces salauds durant des mois. Non. Que je trouve un moyen de m'échapper. En avais assez d'avoir peur. Était temps qu'une vague de courage m'envahisse. Hélas! il y avait à peu près personne sur ces rivages. Crampes dans le ventre. Mira, devinait-elle mes pensées? A ouvert son sac et a dit: «Monsieur le consul! Regardez dans mon sac. Vite.» Petit coup d'œil, ai vu une arme luisante avec un silencieux tout à fait comme dans un film de James Bond, l'agent 007 de M. Fleming. Ai frissonné. Sifflotais dans le noir.

Mira ma mère! Seigneur! drôle de mère. Elle se déhanche de façon ridicule, maquillée comme une diva d'opéra, fait voler sa noire perruque de tous les côtés, sourit aux vieillards esseulés qu'on croise. Une grue, pas une mère, ça ne s'invente pas être une mère. Ces vieux promeneurs ne me voient pas, n'ont d'yeux que pour cette géante au visage tout picoté. Ils rigoleraient si j'osais subitement leur demander un secours quelconque. Je suis décidé, si un agent de police se montre, je fais ma crise.

Il faisait très sombre. Le lac était de l'encre. Mira est allée téléphoner dans un café en bordure du lac proche, d'une place à kiosque où l'on annonçait un Festival de jazz. Elle tripotait le revolver au fond de son sac. Est revenue et a dit: «Le téléphone de Rome se fait pas vite. On va aller manger un gâteau.» Quand elle mange, elle fait peur. Jamais je n'ai vu une bouche aussi large et des dents si longues. Une ogresse. Manger l'enlaidit. Elle a avalé un énorme morceau de tarte enduit de crème glacée et a bu un grand pichet de bière allemande. Ai fini par avaler un petit sandwich. Pas d'appétit. Ai bu un verre de lait. Le lait me calme. Ce lait chaud, avec un peu de miel, que tu me servais, maman, avant que j'aille au lit. Ce mini-sandwich se bloque dans mon estomac. Encore des heures à le digérer? Une pluie très fine s'est mise à tomber. Le ciel s'en est très grisonné. Mira est retournée au téléphone, mais sans son sac. Revenue, elle m'a dit: «C'est réglé! On part pour l'Italie, le temps d'aller y ramasser notre butin.» Je pose plus de questions. Quel butin? De l'argent? Des terroristes libérés? Où, en Italie? Proche de la frontière suisse? Au bout de la botte, en Sicile? Je pose plus de questions. Si je répétais: «Madame Mira, est-ce que je retournerai chez moi dans pas trop longtemps?» Elle me crierait comme hier: «T'es pas bien avec tonton Jeff et tatie Miranda?» J'avais retenu le nom. Miranda. Nom de famille peut-être? «Viens vite! On rentre.» Retour dans la suite du Excelsior; un tonton Jeff énervé me regarde comme si je venais de voler aux étalages. L'ai entendu dire à Mira: «Il y a un os. Je t'expliquerai.» M'a crié: «On va aller faire encore une promenade, petit consul.» Il m'a dit ça, les dents serrées, les yeux plus rouges que jamais. J'ai dit: «Non! Je veux aller dormir.» Il m'a serré le cou: «Pas de discussion, ça ne va pas être long.» Sa voix résonnait comme une crécelle. L'avais pas encore vu si démonté. Mira m'a paru inquiète elle-même. Avais pas le choix.

Dehors, la pluie avait cessé subitement. Vent renforci. Il n'y avait plus un chat sur la promenade derrière l'hôtel. Au ciel, des nuées sales coursaient. Froid pour un soir de mai. Brume partout sur le lac Léman. Sur un coteau, Jeff a hésité. J'ai vu un placard: «Château-forteresse de Chillon. 2 kilomètres. Visites avec guides.» Rencontre nocturne dans une forteresse isolée? Je me suis mis à frissonner. Non. Il s'est dirigé vers l'Ouest, à l'opposé du château, petite ruelle qui longe la grève. Là, tout s'est gâté. Il a commencé par me dire: «J'en ai appris de belles à ton sujet, petit hypocrite.» J'ai rien dit, on marchait en silence. Puis: «On joue l'innocent? Celui qui n'est jamais venu en Suisse? Petit salaud?» Je comprenais que David Livemann était déjà venu en Suisse, ses parents ont les moyens d'aller en vacances n'importe où. L'été dernier, ils sont allés au Venezuela. Le vrai David m'a raconté ça. Jeff me secouait: «Tu ne dis rien? Sacripant de vaurien?» Je ne disais rien. Il m'a tiré vers un quai de planches. Le lac m'a semblé un abîme. J'entendais des cris! Ceux des canards? Ne voyais rien tant la brume était épaisse dans ce coin-là. «Tu es venu ici, il y a deux ans. Tu logeais à cet hôtel Excelsior. Sale petit menteur. Tu dis rien? Tu m'as pris pour un con?» «Vous me l'avez pas demandé.» Il fallait gagner du temps. Le calmer. Je me disais qu'il avait appris. Que l'appel téléphonique de Rome lui avait fait découvrir que j'étais pas un Livemann. Il savait peut-être mon vrai nom. L'erreur du trio Zaide, Herr et Doublevay-Wagner. Il me testait. J'étais cuit. Il allait me jeter dans le lac, m'attacher d'abord à un de ces blocs de ciment que je voyais dans une grosse barque à l'ancre. J'ai eu mal. Un cri n'arrivait pas à sortir de moi. Je me disais: fais ta dernière prière. Je ne savais trop laquelle choisir. Un *Ave Maria* ou un *Pater noster*. C'est à cet instant que j'ai vu un homme s'approchant. Un lampadaire de plage faisait luire une lourde tignasse rousse. J'ai tout de suite pensé à Zaide. Même carrure. Mêmes larges épaules et même imperméable bleu-noir. Jeff s'est retourné et a gueulé: «Qui êtes-vous? Que voulez-vous?» L'homme roux marchait carrément sur Jeff et l'a saisi par les deux épaules. Il l'a levé de terre d'un seul geste. Le vieux iodé grognait: «Lâchez-moi! J'ai des ordres, je sais ce que je fais. Faut en finir.»

C'est tout. L'imperméable bleu nuit lui a serré le cou en poussant un soupir comme s'il tordait le cou d'un dindonneau. Crac! Il a rapproché la barque. Un poids au pied droit et l'a jeté à l'eau. Plouf! Je voulais fuir mais la silhouette du roux m'avait montré un revolver alors qu'il ficelait le pied de sa victime. Il s'est frotté les mains: «C'était un drogué et je suis arrivé à temps, mon petit.» M'a pris la main, poigne d'éléphant! Sommes rentrés à l'Excelsior. Avais hâte de voir la face de tante Miranda. C'était Zaide. Je ne comprenais plus. Me taisais. Je savais que je venais d'échapper à une noyade. «Mira? Tu es veuve! Il boit l'eau du lac, ton vieux.» Mira a ri! Elle est allée lui brasser du scotch avec de l'eau gazeuse. «Bon débarras!» C'est tout ce qu'elle a trouvé à dire.

17

J'écris en vert.

Le couple nouveau rigole dans la chambre du vieux Jeff, noyé. C'était bien Zaide. M'a menotté au bras sculpté de ce divan au style alambiqué. Je n'ai pu dormir de la nuit. Mira et le géant rouquin rugissent. Satisfaction. Je me sens un ver de terre. Un jouet.

J'écris vert acide. Tôt, Zaide a fait monter un lunch pour emporter en voyage. Sans manger, sans même qu'il me laisse faire un peu de toilette, le temps de pisser. M'ont vite conduit vers une Citroën gris métallique. La BMW? Disparue des parkings par enchantement! Sommes partis en vitesse. Me répétais que je l'avais échappé belle. Sursis? Quelqu'un a peut-être appris à Jeff-le-noyé que je n'étais pas le fils Livemann? Qui? Ce personnage pourrait se remettre en contact avec Zaide. Répéter ce qu'il sait. Au fond, je souhaitais que Jeff ait appris la vérité. J'étais un pion sans valeur. Sur le quai je m'étais senti soulagé. Désormais, je devais songer sérieusement à m'échapper. Paysages à vive allure, je trouvais tout ni beau ni laid. Ma survie seule m'importait. Le sentiment qu'en d'autres circonstances, j'aurais admiré ces collines, ces vignobles, ces chemins en lacets, les coquettes maisons suisses nichées dans les montagnes. Grand Zaide s'arrête. Décor somptueux, vallons, escarpements, traversé de torrents bruyants. A grogné, déballant le lunch de l'Excelsior: «On va passer par le col de Saint-Bernard.» J'ai compris, on allait filer jusqu'à la capitale italienne. Mira a dit: «À Rome, ils vont se mettre à table. Sinon, le sang va pisser.»

Ai refusé les ailes de poulet. Ai revu les dents si larges et si hautes de Mira. Ai frissonné. Ai songé à ce dieu antique glouton, dévoreur d'enfants, que papa m'avait fait voir dans un volume marqué *mythologie.* Zaide, rieur, semble en voyage de noces, petites bises dans le cou, les épaules, la poitrine, de cette jument Mira. Elle le repousse en ricanant, lui met la main dans sa culotte. Je n'existe plus. Mira a renversé un pot de mayonnaise sur sa gabardine, Zaide a bondi, lui a flanqué une paire de claques en pleine gueule. Elle saignait du nez. S'excusait. Il secouait son imper, frottait, jurait comme un démon. Lui qui était si joyeux! Elle a rangé les restes de ce pique-nique. Il klaxonnait pour qu'elle se presse. Avec moi, assise en arrière, Mira marmonnait des imprécations d'une violence rentrée. Le spectacle de ce passage Saint-Bernard, tantôt aérien, tantôt souterrain, m'aurait fait m'exclamer de joie en un autre temps. Rien ne me réjouit la vue. Rien. Tout me semble sinistre. On a fini par passer les frontières entre Suisse et Italie, au milieu de l'un des tunnels. Pas méfiants ces gendarmes italiens! Moi, voir cette forte femme beurrée et ce rouquin aux mains comme gants de base-ball, un jeune garçon muet, pelotonné dans un coin de la Citroën, j'aurais posé deux questions. Mais non: «Allez-y! Bon voyage! *Arrivederci!*»

Y a eu du tiraillage. Zaide voulait du rock et Mira-Miranda cherchait à syntoniser de l'opéra italien. Relevant sa jupe, les jambes en l'air, Mira a sauté sur le siège avant, empoignade. L'auto en zigzags. J'ai souhaité une embardée fatale. Imaginais Mira, morte, jambes en l'air, mon rouquin le volant au fond de l'estomac. J'aurais été le survivant guettant un carabinier providentiel. Mira parlait l'italien. Au sud de Milan, on a fait un arrêt à un resto juché au-dessus de l'autoroute, Mira décidait de me passer les menottes! Un employé de la route semblait surpris. Mira explique: j'étais un délinquant, elle était une sorte de policière pour juvéniles. A tout raconté ça au rouquin, riant et mangeant de ses énormes dents luisantes. Zaide, radouci par tant d'astuce, lui a plaqué un baiser sonore. Une poignée de voyageurs mangeait, nous jetant des regards en coin. Ai grignoté un peu. Moi, un sale voyou?

18

J'écris en violet, faisant mine de colorier toujours. Table d'une terrasse, Pise, Zaide tenait à voir la fameuse tour. Pour pencher, elle penche. Je penche moi aussi. Ils parlent souvent d'un certain Da Blasio en se partageant une pizza. Ai demandé une omelette. «Da Blasio sera content.» «Da Blasio va nous féliciter.» Ont l'air d'avoir un grand respect pour Da Blasio. Je suppose que le grand manitou de ma mésaventure vit à Rome, où ce voyage devrait prendre fin. Où je mourrai peut-être, par la main de ce «capo», Da Blasio. Ou par Zaide qui n'a pas eu un instant d'hésitation pour noyer Jeff. Ce couple infâme a vidé un énorme pot de vin rouge; sont joyeux, font des blagues niaises, se racontent des histoires de cul. Attaché, je n'existe pas. Zaide a fixé les menottes à sa ceinture, son poignet étant trop large. L'impression de lui tenir une cuisse. Il a voulu aller pisser et m'a détaché. Mira a dit: «Bouge pas! Souviens-toi du joujou dans mon sac.» J'ai dit: «Qui est M. Zaide au juste? D'où vient-il?» Forte tape sur la gueule: «Ton orangeade et ferme ton clapet.» Non, pas une bonne maman, jouant encore la police des voyous trouvés. J'ai dit aussi: «À Rome, tout va se régler?» Elle m'a fait une grimace idiote:

«À Rome, on ira voir le pape. S'il veut cracher son or, tu resteras avec le Saint-Père.» M'a commandé un gâteau recouvert de crème. M'en régalais quand j'étais un garçon ordinaire; ici, cela m'a levé le cœur. Suis allé vomir derrière un garage où un néon clignotait: *Aperto*. Ouvert, ça veut dire. Moi aussi, j'étais grand ouvert. J'ai dégobillé. Après j'ai eu froid. Mira m'a dit: «Ton blouson! Mets-le, imbécile!» Encore des taloches. Maman, j'ai hâte qu'on me tue!

Est-ce la vue d'une fameuse grand-place toute briquetée, à Sienne? Je déclare: je veux léguer ma collection de petits chevaux à Laurent. Ça nous vient de l'oncle Paul, longtemps jockey. Si petit, avait gardé la silhouette d'un adolescent. M'avait dit: «David, mes chevaux, aime-les. Prends-en grand soin. N'oublie jamais: le cheval est le meilleur ami de l'homme.» Avec sa collection, il y avait une énorme maquette, manège fait de petites briques jaunes. Comme ici, à Sienne. Zaide a couru derrière un vendeur de journaux, l'a rattrapé et est revenu au café-terrasse. «Lis, Mira, peut-être du nouveau.» Grandes-dents s'est mise à parcourir le journal pendant que j'écris en violet toujours. Mon cahier, plus que quelques pages, signe de malheur? Je ne verrai pas le souverain pontife. Le pape ne fera aucun troc. Vais crever dans une ruelle de Rome comme j'en vois autour de cette place en forme de gigantesque coquillage. Oh maman! si tu vis, j'en suis pas du tout certain, vu que je t'ai encore revue en songe et que tu étais au ciel, entourée d'êtres ailés, visages sans traits, une lumière aveuglante... Si tu vis, si tu lis tout cela un jour, tu dois savoir que je vais à la mort bravement. Je suis las, harassé, ne souhaite plus qu'une chose, que tout se termine à Rome, que le cauchemar s'arrête. Je préfère mourir. Ne veux pas être trimbalé plus longtemps. J'y pense: si mon ami Benoît vient aux nouvelles, il pourra garder, en souvenir de David, mes cartes en couleurs des as du hockey et du base-ball. Il y en a deux albums, des reliures achetées il y a pas dix jours avec mes gages de passeur de journaux. Dans la boîte de biscuits bleue, près des albums, il trouvera quatre enveloppes avec les collants qu'il faut pour fixer ces cartes de héros sportifs dans les albums. Merci, maman. Merci, Laurent, si maman est morte.

J'y pense, pendant qu'on roule vers Florence qui est annoncée, je ne verrai pas l'été, c'est probable. L'été, doux temps des vacances. Aurais pu agrandir ma cabane, ma troisième construction, dans le saule géant chez papi. Alain serait venu m'aider, il est si habilement conseillé par son père, un menuisier. Charles m'aurait invité encore, fin août, à son chalet du lac Marois. Fini tout ça? Où serais-je l'été prochain? Dans un fossé, banlieue de Rome, rongé par la vermine? Un net mauvais pressentiment. Si Da Blasio est un chef, il va découvrir la bêtise des ravisseurs dont ce niais de Zaide. Zaide qui a passé le volant à Mira pour mieux la tâter. Elle rigole, il s'amuse, mamelles en laine angora rose.

Florence? Me souvenir. Papa, son atlas déployé, m'avait fait faire le tour du monde, continent par continent. J'avais six ans. Florence? Il me semble qu'il m'avait parlé d'une ville remplie de monuments, d'églises et de musées. Je ne vois rien. On me bouscule. On arrive dans une ville aussitôt, comme ici, à Florence, on loue des chambres, on me jette sur un lit, on m'attache. Les perruques volent. On se teint les cheveux. Un vrai bal masqué!

19

J'écris maintenant au feutre rouge. Je viens d'être filmé! Chambre d'hôtel, Mentana, au bord du fleuve Arno, près d'une place publique. Zaide s'est amené dans la chambre, une caméra vidéo, un réflecteur. Sa lumière dans le visage, Mira m'a expliqué ce que je devais dire. J'ai tout de suite songé à vous tous, parents, amis. Ils vont faire passer ce bout de ruban vidéo aux télévisions du monde entier? À la maison, chers petits frères, voir un David perdu, au bord des larmes? Me suis secoué! Faire l'effort de paraître pas trop mal en point, pas trop vous inquiéter. Maintenant, si vous lisez ceci, vous savez que j'étais pourtant à bout. Vraiment à bout. Désespéré. J'ai joué le bien portant. Mira: «Si tu dis pas ce qu'on va te dire de dire, on efface et on recommence autant de fois qu'il faudra.» Alors, j'ai juré de dire ce qu'ils voulaient que je dise. On m'a fait faire une pratique d'abord. Zaide a ouvert le bal. Me sentais un enfant-acteur, comme on en voit à la télé. Il a grogné: «D'abord tu dis que tu es vivant!» J'ai dit: «Ils vont bien le voir.« Ai reçu une claque. Zaide m'a pincé les bras dans ses tenailles: «Tu dis que tu es bien vivant et que tu as hâte de revoir tes parents. Que tu comprends pas toutes ces lenteurs. Que tu vas mourir dans la journée s'ils ne se grouillent pas.» Mira, près de moi, m'a dit: «Je te dirai ce qu'il faut ajouter après ce début.» Zaide me gueule: «Vas-y, connard.» Ai pris l'air du gars pas trop mortifié: «Je suis en vie encore. Je voudrais bien te revoir, maman. Et toi, papa.» J'ai osé ajouter: «Vous autres aussi, Laurent, Simon. Et toi, petit Thomas!» Le rouquin a stoppé son kodak pour me crier: «Pas de singeries! T'as pas à nommer les petits amis!» J'ai crié sans y penser: «C'est mes frères!, mieux que des amis.» Mira au rouquin: «David a des frères?» Zaide: «Ça se peut. On en a rien à foutre!» M'a secoué de nouveau: «Tu dis maintenant qu'il faut qu'ils se grouillent en Israël et à Washington que, sinon, tu seras exécuté aujourd'hui même!» Il a fait redémarrer la caméra de télé! J'ai dit: «Faites quelque chose, c'est aujourd'hui que je vais mourir.» J'ai pas pu m'empêcher de crier: «Je veux pas mourir! Je suis innocent! J'y suis pour rien dans tout ça!» Mira a gueulé: «Assez! Stop!» Elle m'a donné deux gifles! Zaide l'a retenue: «C'était bon! Il a été naturel!» Il a éteint sa lampe et a vidé du scotch dans un grand verre. Mira lui a composé un numéro de téléphone et lui a tendu l'appareil. Zaide a crié, heureux, si satisfait: «On l'a fait. C'est prêt. Le petit consul a été parfait! Venez chercher ça, ça devrait faire avancer les choses.» Il a raccroché, s'est frotté les mains et a envoyé Mira reporter le matériel de prises de vue.

Avais hâte de voir ce Da Blasio; ça ne finissait pas les «Da Blasio va régler ça vite» et les «Avec Da Blasio, ça va plus traîner». Que voulait-on en échange de ma petite personne? À Montreux, comme à Paris, à Londres comme à New York, j'avais souvent entendu mes ravisseurs dire: «Comment ça se fait qu'ils repassent jamais la photo du petit? Ni à la télé ni dans les journaux?» Je savais pourquoi, moi. David Livemann était à l'abri. On avait soigneusement caché le vrai David. Moi, j'écopais. Bouc émissaire, brebis moche qu'on immole: les textes bibliques que mon père lisait. Mouton sacrifié. C'est tout. Ces gredins exigeaient la lune? Je ne sais rien! La libération, peut-être de centaines et de centaines de prisonniers, des terroristes. J'aurais tant voulu savoir. Bête de devoir mourir en ignorant la cause de sa mort. On refuse quoi en échange de tit-cul du 4903, Hutchison? Ici aussi, à Florence, il semble que le directeur de l'hôtel est dans le coup. Sur son magnétoscope, au fond d'un bureau, derrière les cuisines, ils passent et repassent le ruban vidéo. Ai eu droit à une marche de santé avec Mira devenue blonde! M'a conduit vers une place où on peut voir le David de Michel-Ange et d'autres sculptures. À une terrasse, elle a commandé un café rempli de crème et m'a offert une sorte de sorbet. Elle tenait une main dans son sac ouvert. Le revolver? C'était rempli de visiteurs. J'ai eu envie de crier: «C'est moi, l'otage! C'est moi le fils du consul qu'on a enlevé.» Sans doute qu'il devait y avoir des compatriotes à moi dans cette cohue de touristes bardés d'appareils-photo. Ai songé qu'après le passage de la bande vidéo, il n'y aurait plus jamais de sortie.

J'écris toujours en rouge dans la chambre de ce petit hôtel de Florence. Mira m'a montré, dans le hall, les tas de photos prises lors d'une inondation catastrophique. J'ai souhaité du fond du cœur: «Faites qu'il pleuve, mon Dieu, durant des heures, que le fleuve déborde encore, que mes ravisseurs affolés me lâchent, sauvant leurs peaux.» Éclairs, dans le ciel de la ville, et des bruits de tonnerre, c'est là que j'ai pensé à un déluge vengeur. Mira m'a amené sur le plus vieux pont de l'Italie qu'elle m'a dit. Plein de boutiques. S'est acheté des boucles d'oreilles, en sortant de son vaste sac, qu'elle porte en bandoulière, une liasse de dollars américains. Le marchand, émerveillé, lui a proposé d'autres aubaines en gesticulant. Elle s'est sauvée, me tirant par un bras. En rentrant, place Mentana, j'ai vue une trâlée d'enfants. «Morveux de gitans!» a grogné Mira en ramenant son sac sur son ventre. Ils m'ont fait des sourires grimaçants. Je me retenais de leur crier: «Vous survivrez! Moi, c'est ma dernière journée.» Je dois me concentrer, chère maman, chers petits frères, c'est sérieux, les autorités concernées ne bougent pas. Il s'agit d'un échange avec Israël, donc qui concerne la cause des Palestiniens. Quelles sont leurs exigences? Peut-être l'octroi d'un territoire délimité pour les réfugiés? Je sais peu de choses sur ces conflits. Papa n'arrivait pas à m'expliquer clairement. Il me parlait de la bande de Gaza, de la Cisjordanie, d'un certain Arafat, de l'O.L.P., de groupes clandestins violents. Un casse-tête! J'ai peur! Je me souviens, papa répétait: «Avec Israël, jamais de négociations en cas de chantage. Sont intraitables, et sont capables d'actions intrépides.» Il m'avait parlé de raids périlleux. S'ils organisaient un audacieux raid sur Florence? Ou sur Rome où Mira et Zaide ont dit se rendre? Serais-je pris entre deux feux?

J'ai tenté de m'endormir, hôtel Mentana, rêvant à des guérilleros israélites. Ils savent où je suis! En ce moment, ils se rapprochent dans la nuit de Florence. Me suis surpris à regarder par la fenêtre. On a laissé les tentures grandes ouvertes. J'imaginais de véritables acrobates avec cagoules qui s'agitent. Le chef du commando intrépide, mince, vêtu d'une camisole noire réussissait à se hisser à mon étage, parvenait à ma fenêtre. Je le vois, il m'aperçoit. Il me fait: «Chut!» Détache mes menottes prises à la tête de ma couchette décorée de tubes de laiton. Me prend dans ses bras, ça y est!, d'un geste souple bondit sur la commode! Me voilà sur un balcon de pierre vermoulue. Éclairs et tonnerre. Nuit de délivrance. Je suis heureux. Mon cœur bat à se rompre! Place Mentana, une voiture attendait. Dans l'auto le papa de David: «Bravo, mon p'tit gars! Tu as bien fait de taire ton identité! Te voilà sain et sauf. On va te ramener dès demain en Concorde. Tu vas revoir tes parents et tes amis. Mon fils te prépare une grande fête.»

J'y rêvassais, la porte s'est ouverte brusquement. Mira ouvre des yeux très grands et Zaide se tient au garde-à-vous. Je vois, qui s'approche de mon lit, un grand bonhomme, l'air d'un seigneur d'antan, chauve, crâne luisant. Est vêtu d'un léger paletot, porte des gants de luxe, se penche au-dessus de mon lit. Dans son regard, je ne peux lire qu'une curiosité ordinaire. Il n'y a dans ses yeux d'un gris presque blanc ni haine, ni plaisir, ni mépris, ni bonté. «Vous allez le préparer. Faites-le s'habiller. Je rentre à Rome, seul, avec lui.» Digne, noble, pas assuré, il sort aussitôt de la chambre. Je l'entends parler, pendant que je m'habille, tantôt en français, tantôt en anglais. Avec Mira, en italien. J'ai mis tout mon linge. Je sors de la chambre. Le cœur me bat très vite. C'est la fin, c'est le chef, Da Blasio, il va me conduire où tout doit se dénouer. Israël a dit «oui»? Si cela a été «non», c'en est fait de moi. Je me compose un visage. Paraître calme. Ce seigneur chauve ouvre une mallette qu'il pose sur le secrétaire de l'entrée. Remplie de billets. Des lires. Impression que cet argent représente une fortune. Zaide et Mira ont l'air contents. Et bien débarrassés. «Voulez-vous qu'on lui passe les menottes de nouveau, monsieur Fasano?» Ah! ce n'est donc pas Da Blasio? Son émissaire principal sans doute! Il est peut-être «au-dessus» de Da Blasio? Une prestance, la classe du papa de David. Il me fixe avec un sourire plutôt sympathique: «Laissez-le libre. Monsieur le consul sera bien sage.» Il déboutonne son manteau puis déboutonne veste et veston, même gris que le manteau. Encore une de ces ceintures transversales, étui de cuir, revolver. Il se reboutonne lentement. Zaide me dit: «David, Fasano tire encore plus vite que Lucky Luke.» Son rire de gorge. Mira tourne autour du seigneur, comme pour le séduire. Lui enlève une laine sur l'épaule. Lui sourit de ses effrayantes dents. Le prince Fasano lui jette un regard de mépris. Elle va vite se coller contre le rouquin. «Bon voyage et toutes nos salutations au chef!» Le baron Fasano a refermé la mallette, bouclé les attaches et a lancé la valise vers Zaide: «Cachez ça. C'est interdit par la loi.» Il sort un porte-cigarettes, pige une cigarette au papier doré, bout filtre argenté. Zaide se précipite pour l'allumer. Le roi lui jette une bouffée fumante dans le visage. Zaide rit, veule et amène, en courbettes. Bien débarrassé d'eux, moi. Me fait signe de le précéder, tapotant la bosse sous son bras gauche. Mon bourreau? Ne sais pas encore. Ne sais toujours rien!

Cette scène: un film d'espionnage.

20

Je savais rien. Maintenant, je sais. Rome. J'écris en violet. Grand duc chauve, vu ma petite taille, devait croire que je n'avais pas même six ans. S'adressait à moi comme si j'étais un môme de garderie. Acceptait de m'acheter un autre livre à colorier, sans même que je lui en parle. M'a procuré un sac à dos plein de goussets à fermeture éclair, même nylon que mon coupe-vent. Y ai mis mon premier livre. Ai commencé le deuxième. Petite auberge, Monte Mario, colline derrière le Vatican, je me pose des questions. Le cuisinier est un muet à qui on parle par signes. Un écriteau se balançait au-dessus d'un treillis de bois pourri: *«Da Blasio, albergo.»* Il n'y a qu'un étage. Des chambres. Horde de bohémiens bruyants. Le chauve m'a dit: «Bientôt, vous comparaîtrez devant notre chef. Une décision va être prise.» Charles, mon ami de la rue Durocher, a un oncle qui est ici, à Rome, sorte de chanoine qui fait des recherches savantes. Imaginer une fugue vers cet oncle prêtre! J'ai vu par les vitres de la limousine, en arrivant à Rome, que cette auberge n'est pas bien éloignée de Saint-Pierre. Nuit belle, brillante. Nuit claire après l'orage électrique. L'aube guettait dans l'ombre. La ville m'a semblé entourée de taudis.

M'a-t-il fait boire un somnifère, plus tôt, dans cette limonade offerte, car il m'a semblé avoir aperçu des grottes et des gens dans des trous, parois de pierre naturelle, on aurait dit du monde du temps des cavernes! Le Tevere, fleuve dans la ville, est sombre avec des reflets rouge vin. En arrivant à cette auberge, accourant vers la limousine, un homme qui boitillait et parlait un français très pointu, a dit: «Le Manitou vous a demandé deux fois au téléphone, patron!» Le fier Fasano n'a pas répondu au boiteux et a filé vers l'intérieur. L'infirme m'a dit: «Bienvenue à Rome, monsieur le consul. *Benvenuto!* Suivez-moi, votre chambre est prête.» Il m'a conduit vers le sous-sol. Presque un cachot. Ai compris que l'on avait dû passer le ruban sur toutes les télés du monde. Désormais, il me faudra rester caché. La police, c'est connu, a des yeux partout, des indicateurs fouineurs. Finie pour moi une certaine liberté? Le boiteux, disant se nommer «Armand» m'a dit: «Demain, vous vous promènerez dans un grand jardin potager, derrière l'auberge.» Me suis endormi. Ne sais comment car il y avait beaucoup de musique et des chansons. J'avais dit à l'Armand: «Après Rome, il n'y a plus rien, j'espère. C'est la fin?» Armand m'a tapoché la chevelure et a dit: «Ne craignez rien. Ça débloque! Il a verrouillé la porte de ma chambrette monacale. Aux murs, des dessins faits par un artiste naïf. Il y a, par-dessus une de ces murales, un slogan en lettres jaunes: «Vive la Palestine!» Un croissant de lune sur un autre mur. En dessous, des tas de personnages comme ces tableaux du peintre Chagall.

On est venus me réveiller. Presque midi! J'ai vu l'heure sur une horloge d'une pauvre salle. Drôle d'auberge. C'est clair, il n'y a pas de vrais clients. Armand a sans doute été désigné pour être mon gardien. Me suit sans cesse. Autour de cinq longues tables, des familles entières, en haillons, des gitans. Ça chante, ça rigole. Misérables de bonne humeur. Enfants très sales aux cheveux raides. Un a ma montre! Volée durant mon sommeil? Enfants de mon âge. Maigres, yeux cernés. Maman, la pauvreté est relative. Ici, ces gamines et ces garçons sont autrement plus démunis que nous, les petits pauvres de la rue Hutchison. Ils sont vêtus de torchons, ont des marques, des boutons sur la peau. Des dents cassées. Ces jeunes ont des allures louches. Armand m'a dit: «Ce sont des réfugiés.» J'ai dit: «Des gitans, n'est-ce pas?» M'a regardé un moment en silence pour finir par articuler violemment: «Des gitans, si on veut. Ils se sont fait voler leur pays! On a tué leurs parents. N'ont plus rien. C'est la faute des Juifs du monde entier.» Maman, si papa n'était pas mort, j'en saurais davantage sur tout cela. Le lac Tibériade, le Golgotha où Jésus a été crucifié, le mont des Oliviers, la Samarie, et tout ça, c'était vraiment la Palestine? Papa m'a déjà fait voir une carte du temps du Christ, il y avait la Judée, le mont Thabor, la Galilée... En tout cas, je me suis senti moins perdu en face de tous ces enfants maigrichons. Même les adultes qui vivent ici me paraissent plus fragiles que moi. Les grandes personnes semblent excédées, donnent des taloches à n'importe quel enfant qui se trouve dans leurs jambes. Paf! Paf! Ces petits ne chialent pas, jouent, courent sans cesse et rient même sous les claques.

J'ai pas réussi à manger. Armand m'a servi une gibelotte à sauce noire, une fricassée inquiétante. Maman, comme je m'ennuie de tes repas. Ce qu'il m'a offert, même le vieux chien errant, Yogi, rue Saint-Viateur, n'en aurait pas voulu. Écoute-moi, Laurent: ça va mal finir, je le sens. Tu garderas ma collection de timbres. Tâche de la continuer.

*

Cet après-midi, je sais pas ce qui m'a pris, je me trouvais dans ce grand champ derrière l'*albergo*, j'ai demandé à Armand qui bêchait: «Je veux voir votre chef. J'ai à lui parler de toute urgence.» Armand s'est redressé clignant des yeux, le soleil tapait fort, a grogné: «Tu vas être satisfait. Le chef sera là au début de la soirée.» J'écris en rouge. Il est usé. Mais j'ai besoin d'écrire en rouge maintenant. Un camion s'est amené en fin d'après-midi. Étonnant branle-bas de départ. J'ai pas su pourquoi. On a jeté dans la boîte du camion les bagages de ces bohémiens de Palestine. Après, enfants et adultes se sont installés; des cris, des larmes, des adieux à Armand, au cuisinier chinois muet. Plus tard, un autobus, très usé, s'est amené et ça été l'embarquement des plus vieux. L'auberge est devenue toute silencieuse, plus aucune chanson, aucune musique. Leur joyeux tintamarre me donnait du cœur au ventre. Il y avait d'autres enfants. C'était moins sinistre. Laurent, ne laisse pas faire mon ami Benoît, tu prendras ma place pour la livraison des journaux. La liste est épinglée sur le côté de l'armoire brune. S'ils me tuent, cher Laurent, pourrais-tu aller vers ma cabane, celle du saule, y graver mon nom dans l'écorce? Marque juste: David. En dessous, grave 1978, année de ma naissance. C'est tout. Juste ça. Mon nom sur le vieux saule, pour des années et des années. Maman, si on rapatrie ma dépouille, ne fais pas de grandes dépenses au cimetière du Mont-Royal. Sur le granit, sous le nom de papa, demande seulement que l'on grave: «Son fils, David, en qui il avait tant mis d'espérance.» Juste ça. Pourras-tu? Les graveurs coûtent cher. Oublie pas que je t'ai rendu de bons services. J'étais «ton bras droit», tu le disais aux voisins. J'écris en lettres plus grosses: *OUI, J'AI VU LE CHEF. J'AI VU LEUR MANITOU. C'EST UNE FEMME! UNE HAUTE NÉGRESSE. UN VISAGE FERMÉ.*

Le soleil baissait rapidement et Armand a crié: «Ah, chef! Vous voilà!» Très curieux, j'ai vu arriver aucune voiture. Rien. Elle était là, dans l'allée de mosaïques de l'entrée principale. Je me suis dit: «Elle est venue à pied, incognito.» Fasano, averti, s'est précipité vers cette grande femme et la saluait bien bas. Armand la précédait partout, dans la salle à manger, à la cuisine, au solarium. Le chauve, si digne, si chic, l'appelle Marinella. Au moment où Fasano l'entraînait vers un atelier, au fond de l'*albergo*, j'ai demandé à Armand: «D'où vient-elle votre grand manitou? De l'Afrique vraie ou des États-Unis?» Il m'a dit: «Marinella est née en Éthiopie. Elle a étudié à Paris. C'est une intelligence rare.» S'est dépêché ensuite de me ramener à ma cellule du sous-sol. Avant de verrouiller ma porte, il a ajouté: «Elle a travaillé un peu partout, au pays Basque, en Ulster un temps, au Nicaragua aussi, à Beyrouth longtemps, en Libye, il n'y a pas longtemps.» J'ai compris, Marinella a fait ses classes en révolution dans tous les coins chauds de notre planète. Maman, tu aurais dit que cette femme «cherchait la chicane».

Je me reposais d'écrire. Plus tard, je rêvassais. Je me demandais si la belle grande négresse apportait de bonnes nouvelles à mon égard, quand on a frappé timidement à ma porte. J'ai dit: «J'ai pas la clef!» On a brassé une clef dans la serrure et la porte s'est ouverte. C'était le rouquin! C'était le grand rouquin Zaide, le visage changé, grave, méconnaissable. Il me semblait plus gentil, plus doux, plus courtois. Il m'a longuement regardé, droit dans les yeux. C'était la première fois. Oh, chère maman! Ce fut toute une surprise. Zaide m'a dit: «Tu vas faire bien attention à ce que je vais te dire.» J'ai promis. Il m'a offert un morceau de gâteau aux dattes. Il a sorti une petite fiole et en a bu une grande rasade en me confiant: «C'est pour mon arthrite. J'en ai besoin.» Ce qui amenait le rouquin dans ma prison? «David! C'est plein de gens qui comptent sur toi. Maintenant tu as un important rôle à jouer.» J'ai dit: «Je peux rien faire. On me trimbale comme un sac. On me demande pas mon avis, m'sieur Zaide.» C'est là qu'il m'a dit, à voix retenue: «Je t'autorise à m'appeler par mon nom quand nous serons seuls. Je m'appelle Zénon. Zénon Blass. C'est notre secret.»

Je me méfiais. J'avais entendu parler de personnes, dans les prisons, qui se font gentils pour mieux cuisiner les prisonniers. Mon Zénon, l'ex-Zaide, était devenu supermielleux. J'ouvrais mes deux oreilles. Il m'a dit, toujours à voix basse: «Si je disparais, si tu ne me vois plus, ne t'en fais pas, c'est qu'il aura été plus prudent que je me tienne loin de l'action.» J'ai dit: «M'sieur Blass, est-ce que vous obéissez à Marinella, la négresse, comme tout le monde?» Une surprise m'attendait. Il est allé écouter près de la porte, est revenu s'accroupir près de ma petite table: «Pas du tout. Je suis un infiltré. Je t'ai protégé sur ce quai en Suisse. Jeff venait d'apprendre que tu n'étais pas le fils Livemann. Je t'ai sauvé, David.» M'a passé un bras autour du cou. Semblait tendu, guettant le moindre bruit. C'était clair, voulait ma confiance. Je craignais le piège. «David? N'as-tu pas tiré sur Doublevay, à Londres, parce qu'il savait?» Il avait des sueurs partout. Comment savoir? Il tentait de me tirer les vers du nez? D'abord j'ai essayé de jouer celui qui saisit pas trop. «M'sieur Blass, Doublevay-Wagner essayait de faire des choses sales avec moi.» Il a eu un ricanement. S'est redressé, s'est épongé le visage. M'a fait lever de ma chaise rudement, m'a entraîné dans un coin de cette cellule: «Il n'y a pas de temps à perdre. N'essaie pas de jouer au plus fin avec un Irlandais surtout pas avec un Blass, mon tit-gars! Tu n'es pas le fils Livemann. Ton nom est David Lange, tu es le garçon d'une femme de ménage. Celle qui allait chez le consul de la Côte Sainte-Catherine.» J'ai rien dit. Ai baissé la tête. Il m'a fait voir une carte et un badge. Vitement. J'ai pas pu lire. J'ai vu comme un aigle sur fond, il me semble, de drapeaux américains. Il m'a semblé seulement. Il a bu encore de son médicament. Je suis allé vers les peintures murales. J'ai passé un doigt sur les lettres du slogan «Vive la Palestine!» Le rouquin irlandais est revenu tout près de moi. «Tu n'as pas à avoir peur de moi. Je suis là depuis le tout début. Je ne suis pas avec eux, je te protège du mieux que je peux. À Paris? La mitraille sous Notre-Dame? Mira n'a fait que m'obéir. Cette putain mercenaire est du côté qui paye le mieux et m'a coûté cher. Faut que tu aies confiance en moi.» Je nageais dans le mystère. Comme papa, je suis méfiant de nature.

On est venu me porter de la soupe. Le Chinois muet est reparti et Zénon Blass est ressorti de sous mon lit. Il allait et venait. Il a fini par m'en dire un peu plus long. Qu'il était une sorte d'agent-informateur pour Ottawa et ses services secrets. Qu'il était devenu espion peu après son immigration dans les années soixante-dix, qu'il avait été policier détective à Belfast. La Gendarmerie Royale du Canada l'avait engagé pour des missions secrètes, qu'il avait réussi à démanteler un réseau de fournisseurs d'armes vers l'Ulster, qu'ensuite, Ottawa l'avait prêté à la CIA de Washington. Qu'ils avaient appris par une taupe à Ottawa le projet d'enlèvement. Qu'il avait réussi à infiltrer le groupe Herr et Doublevay, payé par Fasano. Il parlait, je ne comprenais pas tout. Il était le seul qui possédait une photo du vrai David. Il avait bien vu l'erreur. Il avait réussi, de Burlington, à alerter Ottawa et Washington. Je n'étais pas rassuré par les révélations du rouquin. Au contraire, je craignais encore davantage pour ma vie. Quelqu'un, quelque part, allait démasquer cet agent spécial et je serais assassiné aussitôt. «Si vous êtes vraiment un policier, faites-moi sortir d'ici immédiatement. Dès cette nuit.» J'avais presque crié et il tentait de me faire taire avec sa grosse main poilue sur ma bouche.

Il a bu encore de son médicament, a cassé des noix, qu'il sortait de ses poches, avec ses dents. Il croquait vite! Il en avait un plein sac tiré de son imperméable bleu nuit. Me suis mis à pleurer. J'avais très peur. Il est venu vers moi, une noix ouverte dans la paume, m'a caressé les cheveux: «David, on a besoin de toi. On compte sur toi. Il faut éliminer ces fous, ici.» Oh maman, tout à coup, je devais être utile! Est-ce que je devenais un personnage? Imagine la tête que j'ai pu faire quand Zénon Blass m'a déclaré: «Si on avait voulu, il y a déjà longtemps que tu serais libre. Ottawa et Washington veulent en finir avec tous ces illuminés. Tu es notre précieux fil conducteur, David.» Ai voulu crier, rien ne sortait de ma gorge. Je suis resté la bouche ouverte. Suis allé me jeter sur ma paillasse crasseuse. Je refusais de servir de guide. Je ne voulais pas du tout servir de cible mobile. Oh non! J'ai dit à ce m'sieur Blass: «Ça m'intéresse pas, vos combines! Je veux rentrer chez moi. Je veux pas mourir. Ni pour mon pays, ni pour aucune grande cause! Je suis trop jeune. Je suis un enfant encore. Je refuse d'être utilisé par vous.»

Le rouge Zénon Blass bombe le torse, prend un visage solennel, me prend par les épaules: «Tu peux devenir un héros mondial si tu veux. Tu entreras dans l'histoire du monde moderne. David! Montre-nous que tu es le fils de ton père, un homme fier et courageux, ton papa. Malchanceux mais intrépide.» Il me parlait de papa?! Il osait. Il connaissait mon père? Une ruse, un mensonge?

Maman, que savait-il donc de papa? Rien du tout, je gage. Je me disais qu'il cherchait à m'attendrir. «Tout ce que je veux, m'sieur Blass, c'est de ne pas devenir un mystérieux mort disparu comme lui. Pas avant d'être très vieux.» J'avais aussi crié: «Ça ne m'intéresse pas. Je suis le bras droit de ma mère! Elle est veuve et pauvre, elle a besoin que je vive.» Il répétait: «Tu ne risques rien. Je veillerai. Il ne t'arrivera rien. Nous sommes les plus forts. Nous les surveillons. Nous voulons décapiter leur organisation. Sans toi, c'est foutu. Fais ça pour le pays! Pour la civilisation! Pour la liberté!» Je m'obstinais dans mon refus sans savoir quel rôle au juste il voulait me confier. Je l'ai menacé d'appeler au secours, de le dénoncer. J'ai marché vers la porte verrouillée: «Je regrette, monsieur Blass, faites-moi seulement sortir d'ici.» Blass s'est assis dans un fauteuil au cuir jaune déchiré: «Il est trop tard. Tout s'achève. Tu ne peux plus reculer. Tu es arrivé au bout de cette sale histoire. Du cran!» Je me suis bouché les oreilles et me suis recouché en silence. Ai tiré la couverture de laine sur ma tête. Ai fait le sourd. Envie de crier aussi, jusqu'à temps qu'il se décide à m'arracher des griffes du chauve Fasano, de cette Marinella noire, de tous ces illuminés. Zénon Blass, en parlant toujours à voix basse, s'est assis sur mon petit lit. Le sommier a grincé, le lit a basculé, penché de son côté. C'est étrange, maman, j'ai failli m'endormir. Une sorte de fuite. Je voulais tellement ne pas y être mêlé. Auto-hypnose? J'ai entendu Zaide-Zénon qui parlait lentement: «Cette fameuse Marinella va tomber. Elle est entrée en contact avec un des nôtres, Boris Pestnev. Il fait l'arbitre neutre, le négociateur impartial. C'est un Prix Nobel. Elle est perdue!» Je n'écoutais pas. Un ronron lointain parlait. Sa voix me semblait filtrée. Je n'entendais pas. Vraiment, je voulais m'endormir. Me réveiller ailleurs. À la fin, des mots épars me parvenaient faiblement: «David... fort, courage... David, ton père... Délivrance... Ta mère... L'Occident... Un piège... joue le jeu... Bientôt, Pestnev... L'univers... Jean-Paul 3... La terreur... Notre Président, David... Sauver la paix... Israël...» Ne voulais plus entendre... Je suis à bout. Ai même dormi sans doute quelques minutes, au moment de tous ces noms de villes et de personnages. Avant de dormir, j'ai entendu: «On pourrait livrer aux Américains, la Christine Endrigkeit, on contactera Ahmad Hasi, c'est le cerveau palestinien pour la discothèque allemande bombardée.» Et puis la litanie des capitales: Rome, Ottawa, Genève, Paris, Tripoli, Jérusalem, Washington.

21

Combien de temps ai-je pu échapper à sa lancinante litanie. Je ne sais pas. Quelqu'un me secouait, tellement fort que j'ai failli rouler de mon grabat. C'était le chic Fasano, il était debout près de moi, vêtu en militaire, tout de kaki habillé. Botté. Il tenait une mitraillette dans sa main gauche. Il semblait moins fier, vêtu en guérillero, moins noble. Il a fini par l'ouvrir: «Il faut nous suivre, monsieur Livemann. C'est terminé. On va vous échanger.» Je cherchais des yeux, plus de Zénon Zaide! Personne d'autre que Fasano habillé en soldat. «Où m'amenez-vous encore?» Je me frottais les yeux, j'étais tout ensommeillé. «Pose pas de questions, *bambino*. Tu vas rentrer chez vous cette nuit même.»

*

J'écris avec un stylo trouvé. Ai perdu mes feutres ou on me les a pris. Ai mangé du bout des lèvres. Fasano et Armand ne me perdent pas d'un regard. J'ai dit à Armand au moment où il me servait des pâtes: «Où est Zénon Blass?» Il a fait: «Y a personne de ce nom-là ici!» Il allait servir Fasano à l'autre bout de cette longue table de cette *Albergo Da Blasio,* j'ai crié: «Où il est, m'sieur Zaide?» Fasano a avalé un grand verre de vin. «Zaide est mort. On l'a enterré avec les légumes pourris d'Armand.» J'ai eu un long frisson. Grand éclat de rire des scélérats. Ils se sont tus subitement, un aveugle entrait, guidé par une fillette portant une robe multicolore. L'aveugle s'est mis à jouer de l'accordéon. Fasano et Armand s'étaient jetés sous la table, l'arme sortie, ils se sont relevés, voyaient bien que l'aveugle était un vrai musicien quêteur. Fasano lui a mis un billet dans une main. En le reconduisant, il a verrouillé la porte de l'auberge. Plus tard la fameuse Marinella a fait son entrée. Elle avait revêtu une combinaison kaki de militaire: «Départ dans cinq minutes, messieurs.» Elle a dit ça avec une fermeté glaciale. Fasano et Armand sont venus vers moi: «Tâche de marcher droit et tout ira bien.»

Dehors, le soir tombait sur Rome, il y avait une jeep, sorte de 4 par 4. On m'y a fait monter. Au volant, Armand, en arrière moi et le baron Fasano déguisé en soldat. Marinella s'est amenée très droite, a dit à Armand: «Tu vas doucement. Ils ont promis que le chemin serait sûr, qu'il n'y aurait personne tout le long du trajet.» Fasano m'a dit: «Content de rentrer chez vous? Tu peux dire merci au poète russe.» J'ai rien dit. Je me disais ça doit être le négociateur, le prix Nobel, Pestnev. Au long des rues, il y avait des policiers avec des torches électriques qui nous faisaient signe de rouler. Une grande avenue où on avait mis des barrières. Soudain, le Vatican! C'était la place de Saint-Pierre de Rome. Partout des réflecteurs puissants. La jeep a fait le tour des colonnades et a fini par stopper près d'une fontaine. Me répétais que c'était ma délivrance, mon cœur battait à se rompre. J'ai pensé à toi, maman. Folie: peut-être qu'ils ont fait venir ma mère jusqu'au Vatican, pour qu'elle puisse tantôt me serrer dans ses bras. Me jugeais idiot d'avoir écrit ce testament, le récit des événements, tout ça. Me disais: je vais détruire ce livre à colorier, le premier, tout rempli, et l'autre aussi, barbouillé au tiers. Une voix a résonné dans un haut-parleur, elle comptait des chiffres. Me suis cru dans le tournage d'un film. Des gyrophares illuminaient cette cour avec toutes ses colonnes. Me sentais un point de mire. Un hélicoptère s'est mis à tournoyer dans la nuit au-dessus de la place. J'étais nerveux! Armand, masqué d'un loup, me saisit un bras et répétait: «Mon garçon, c'est la fin. Tous ceux qui étaient à l'auberge vont vivre normalement, tous les réfugiés.» Je guettais Marinella, ne la lâchais pas des yeux. Fasano a dit: «Je vais y aller le premier. D'accord, chef?» Elle lui a fait un petit signe affirmatif. Je regardais la basilique et me disais: est-ce qu'il y aura le pape en personne? Est-ce qu'il m'invitera à boire un chocolat chaud dans ses appartements avant mon retour chez moi? Armand a dit: «Les importants sont dans un bus stationné pas loin, je les ai vus, tantôt.» Fasano, cagoulé, fusil à la main, alla se placer dans un cercle de craie jaune que quelqu'un avait tracé avant notre arrivée. Il regardait partout, à gauche, à droite, au ciel vers l'hélicoptère. Très excité. Je tentais de me calmer. Aurais voulu voir Zaide-Zénon, il m'aurait souri, fait un signe d'encouragement. Fasano attendait, jambes ouvertes. Armand a dit: «On va sortir maintenant, chef? Moi et le gamin?» «Non! Au volant, Armand, vite! Je n'aime pas ça ici!» Agile, Armand, arrachant son loup, a enjambé les sièges de la jeep, s'est installé au volant. Il s'est mis des lunettes noires. Marinella s'est tournée vers moi: «Vous autres, les Juifs, vous saurez jamais ce que c'est que négocier de bonne foi.» Je me taisais. Marinella me parut soudain surexcitée au maximum.

Oh maman! ce que ça m'a fait de voir soudainement les réflecteurs qui s'éteignaient, un à un. Même l'éclairage des monuments. Le noir complet! Fasano est revenu aussitôt vers la jeep. Il tremblait. A gueulé à l'Éthiopienne: «Qu'est-ce qui se passe, chef?» Marinella a grogné: «Un sale coup des Juifs comme toujours!» Elle tentait de parler dans un appareil-radio de type C.B. près du volant. Que des grésillements. Elle enrageait. Armand s'est énervé: «Qu'est-ce qu'on fait? Pourquoi ils éteignent tout?» Fasano est venu s'asseoir près de moi: «On sort le petit consul et on le descend, chef?» Marinella s'est tournée vers moi: «Tu vois, tout le monde était d'accord, sauf les Juifs! Sale petit youpin!» Ensuite, j'ai entendu Armand grommeler: «Où est le moujik? Notre poète Nobel devrait être là, non?» Marinella a dit: «N'oublie pas qu'il est Juif lui aussi!» D'un haut-parleur invisible, une voix a tonné: «Il n'y aura que les phares de votre véhicule. Faites sortir le fils

Livemann d'abord.» «Ah non!» fulminait la Noire. «C'est pas comme ça que ça devait se passer. Vite, donne le porte-voix, Armand!» Est sortie du véhicule, longue chevelure dans la brise du soir, a crié dans sa flûte: «Vous devez d'abord faire avancer l'ambassadeur d'Israël! Aussi votre grand poète avec l'ambassadeur de la Libye.» Silence de mort. La voix invisible a tonné encore: «D'abord l'enfant Livemann.» Oh, maman, avais sorti un pied du véhicule. Avais hâte d'en finir. Marinella m'a dit: «Sors-le, Armand. Tu marches à leurs côtés, Fasano.» Je n'ai rien vu, rien entendu mais Fasano est tombé! Il ne s'est pas relevé. Armand m'a soufflé: «Dis rien! C'était prévu, Fasano devait être éliminé. Marche et tiens-toi droit.» Je marchais.

Maman, j'ai marché dans la lumière des phares. Marinella avait repris le porte-voix: «Voici le fils du consul juif. Le reconnaissez-vous?» Encore un silence de mort. Je ne sais plus comment te raconter ce qui est arrivé, maman. Près de moi, j'ai aperçu une silhouette, tueur de Fasano peut-être?, celle de Zénon-Zaide-Blass, mais soudain, un râle, il s'est écroulé. Comme Fasano un peu plus tôt. Le sang lui sortait de tous les orifices du visage! Jamais vu ça. Mon tué à moi crachait des papermannes, lui, l'agent secret Zénon-Z, ruisselait cramoisi. Il m'a marmonné: «Ça n'a pas marché du tout. C'est un grand gâchis!» Plus rien sortait, que du sang. Sa tignasse passait de l'orangé au rouge vin. Sa bouche articulant une dernière grimace, j'ai lu sur ses lèvres: «Méfie-toi!» A eu un sursaut comme s'il recevait un électrochoc. Une ombre l'a recouvert. Armand. Tenant une dague luisante dans la lumière des phares. J'avais froid, je grelottais. J'ai pensé à cette basilique: pouvoir y aller à toute vitesse en criant le nom de l'oncle chanoine? L'a-t-on prévenu que David Lange allait courir un danger? Je me suis retourné, c'était la noirceur partout, la basilique n'existait plus! Noir sinistre. Je tremblais. Il faisait pourtant doux. M'arracher à cette histoire. Visiter ces musées où l'on conserve les plus belles créations? J'ai pensé à papa et il était là! Je te le jure, maman! Je l'ai vu. Quelques instants. Il était pas très loin debout. Il me souriait! Il m'ouvrait les bras. Je le revoyais tout à fait comme, dans le temps, sur ces photos des journaux, dans sa canadienne beige, en chef de syndicat, fessé par les flics, sa pancarte déchiquetée. Tu te souviens, maman? J'ai crié: «Papa!» La voix de Marinella a retenti: «Perds pas ton temps, petit con, le pape sort jamais sans son carrosse clos et ses videurs musclés!» Armand m'a donné un coup: «Marche, on rentre! Ça va finir plus mal si tu fais l'idiot.»

Je marchais vers la jeep. Armand suivait. La voix invisible a tonné: «Ne bougez plus! Maria Walesa, alias Josèphe Kamboulou, alias Marina Tatouré, alias Marinella Sandini, ne bougez plus!» Elle avait fait démarrer le moteur et a crié: «Armand, embarque-le, vite!» Armand m'a jeté dans le véhicule. Il a pris la mitraillette sur le siège arrière. A fait: «Vas-y mollo, Lisa!» Lisa maintenant? Cette négresse, une déesse hindoue à dix bras?, elle a tant de noms. Me suis remis à pleurer. On a roulé, sortant du Vatican. Un cortège de véhicules est sorti de l'ombre et nous suivait. Des badauds devaient croire que notre tout-terrain contenait de l'or. Aux carrefours des rues de Rome, camions ouverts pleins de soldats, voitures remplies de *carabinieri*. Marinella conduisait calmement, doucement. Elle devait réfléchir. Ai lu *Corso,* sur une affiche. Ai lu *Via dei Grecci*. Ai vu ensuite une place tout illuminée, sorte de square avec une barque en marbre, un large escalier. Tout en haut, un petit obélisque, une église. La jeep stoppait. Ça grouillait de policiers partout. Marinella m'a dit: «Tu viens avec nous.» Elle a pris la mitraillette et le porte-voix, Armand m'agrippait solidement un bras. Elle a vociféré: «J'abats Livemann, si vous me poursuivez.» Elle nous précédait dans l'escalier. Armand, revolver à la main, soufflait en grimpant les marches garnies de bacs à fleurs. Une voix venant d'une voiture de police a fait: «Marinella! Les Palestiniens vous ont lâchée. Rendez-vous! Jetez votre arme!» J'ai vu Marinella, la figure d'une désespérée, faire un bref signal. Armand tirait les lampadaires qui s'éteignaient un à un. Rafale vers cette chaloupe-fontaine en marbre où s'entassaient des policiers armés. Je me suis retourné: Armand m'a lâché, Marinella déboulait l'escalier. On l'avait tirée! Ses longs cheveux noirs recouvraient tout son visage. Dernière vision du chef Marinella. Armand, essouflé, m'a dit: «Viens, on nous attend là-haut.» Sur la colline, une vieille Plymouth blanche et j'ai revu Dickerey, le type de Earl's Court, le concierge de l'hôtel Georges. Armand m'a précipité dans la Plymouth et a crié: «Vas-y, vite, Dickey!»

22

J'écris donc au stylo. On est installé dans un café-auberge marqué «À VENDRE», «Le Tournesol.» Étroite ruelle, en Provence, village nommé Saint-Rémy. Je suis un autre. Je vais te raconter tout ça, demain. Trop épuisé. Si je ne dors pas, je vais crever. Je voudrais être déjà mort, maman! Dis à Laurent, s'il te regarde lire tout ça: «Ton frère s'est transformé à partir de là.»

*

J'ai dormi, au Tournesol, comme une taupe. Je reprends là où j'en étais. Place d'Espagne à Rome. Infernale randonnée en Plymouth blanche. Roulé de Rome jusqu'à Portofino. Un port de plaisance. Dickey conduisait comme un halluciné. Autoroute d'abord. Longtemps. J'ai vu une affiche: *Firenze, Sienna.* Les écriteaux toponymiques défilaient. Des heures. On a pris soudain une route secondaire, nord-ouest, vers Santa-Marguerita. En pleine nuit, on est arrivés ici, village aux vieux pavés, près de la mer Tyrrhénéenne. Dickey, couché sur le volant, râlant: «On y est arrivés!» Armand a parlé italien avec une dame, bigoudis sur la tête. «Chez Rita», selon un néon tout rose. On nous a laissés entrer. La dame, Rita peut-être?, a installé trois couchettes dans l'entresol de ce petit hôtel. A apporté des victuailles. Armand et Dickerey abasourdis, se sont mis à discuter devant moi, comme si je n'étais plus un otage, ma foi. Drôle de réveillon! Je les sentais déboussolés. Armand, la bouche pleine de fromage, a dit: «C'est un fiasco! Je savais qu'il y avait pas moyen de s'associer à deux causes à la fois!» Dickerey, encore plus perdu, m'a regardé en silence un bon moment; il m'a dit sans sourciller et j'en suis resté muet: «Faut que tu nous aides. On est dans la purée.» On cesse de me considérer comme un simple paquet? Ai marché vers une fenêtre donnant sur les rives de Portofino. Une lune formidable montrait les barques ancrées un peu partout. Sais pas pourquoi, me suis senti comme responsable de ces deux désorientés. L'impression que je leur devais un peu la vie. J'ai fini par dire: «On pourrait louer un bateau, aller réfléchir en haute mer.» Armand me donne une tape pleine d'affection: «Bonne idée, m'sieur le consul! Je connais un trafiquant de dope qui loue des yachts.» Il est sorti dans la nuit. Dickerey m'a expliqué un peu ce qui se passait: ils avaient des contacts avec des Palestiniens mais aussi avec des Corses qui s'occupaient de militants basques. Oh! Je craignais encore d'être submergé par leur soupe aux alphabets. Dickerey m'a dit: «Zaide Blass travaillait pour des enragés en Ulster. Blass jouait double jeu, d'une part, agent officiel de la CIA, d'autre part, il fournissait argent et armes à l'IRA d'Irlande.» Oui, j'étais projeté de nouveau dans la mare. Ai fait un geste de lassitude, lui ai dit soudain: «Est-ce que mon père est vraiment mort?» Dickerey m'a alors regardé avec des yeux exhorbités: «Je connais pas votre papa personnellement.» Il est allé s'ouvrir une bière dans la caisse offerte par la Rita en frisettes. «Votre père est un sioniste sans aucun doute!» C'est là que je décidais sans raison précise de donner un coup de barre. J'ai dit: «Je suis pas un Livemann! On a fait une erreur en m'enlevant. Mon père, Olivier Lange, est allé en prison quand j'étais même pas né. C'était en octobre 1970. Mon père s'était mêlé de terrorisme.» Dickerey a ouvert les yeux encore plus grands et a dit: «Tout s'éclaire, merde! Ils l'ont su, putain! Ils l'ont appris et ont alors décidé d'abattre Z-Zénon, la Marinella et Fasano.» Il marchait de long en large, buvait bière sur bière sans vraiment vider les bouteilles.

Armand est revenu, accompagné de Mario, jeune homme au visage couvert de boutons, ridé avant l'âge. Dickerey lui a tout de suite révélé: «David n'est pas le fils Livemann!» Armand m'a regardé: «Qui tu es?» J'ai dit: «Je suis le fils d'Olivier Lange, alias Olivier Langis, alias Effy Langevin, alias bien d'autres choses. Le matin du 13 mai, Doublevay m'a demandé mon nom: j'ai dit David. Ils m'ont emporté. David Livemann était un camarade.»

*

Dickerey m'appelait Dave sur le bateau de Mario. On a filé vers la France. Armand m'a expliqué: «Nous allons nous cacher chez Léo, en Provence, un abri commode pour un temps.» L'aube s'est levée quand on approché Saint-Raphaël. Mario le ridé a reçu de Dickerey un sac bourré d'argent, a fait ses adieux. Une vieille Renault nous attendait sur un quai. Y était Léo, solide bonhomme, tout barbu, presque plus de cheveux sur le caillou. Drôle d'aube: la lumière se bouchait davantage quand on est montés vers le Midi. Loin, au nord, le tonnerre grondait. On a traversé Nîmes. On a bifurqué par des petites routes vers Saint-Rémy.

À Nîmes, Armand a été envoyé par M. Léo pour acheter du pastis. Le magasin ouvrait. Une blonde bronzée, short jaune, a abaissé un store devant sa vitrine, malgré ce temps d'orage. Armand n'a pas réapparu! Léo a ri. Étais tout mêlé. Savais plus quoi penser quand il a remis l'auto en marche et qu'on est repartis. Léo le barbu venait de dire: «Voici une chose faite. Armand était une charogne, un vendu. Il est déjà froid.» Dickerey m'a dit: «Si tu veux, Dave, on va dormir. Plus tard, on discutera de notre avenir. On va avoir besoin de toi, David.» Je suis resté glacé de surprise. Maman, je me transformais, très différent de celui que tu as connu. Drôle d'effet. Hier, j'étais l'otage, une marchandise, maintenant je me sentais responsable de ma vie. De mon destin. Armand éliminé, Dickerey semblait d'accord, il discutait football. La vie? Il s'agissait donc d'être tué ou de ne pas être tué. Me fallait apprendre à «comment ne pas être tué». Ce qu'il fallait faire pour ça.

23

Au Tournesol, on m'a offert un vaste bureau. L'ancienne salle à manger de ce café-auberge «À VENDRE». Léo Garrigue, vraiment son nom?, a raconté qu'il était retraité du militantisme pour les Basques et la Corse libre, qu'il ne se mêlait plus de rien, qu'il avait mis son café à vendre afin d'aller s'installer en Martinique. Il allait conclure sous peu un marché avec Éva Vallier, une veuve martiniquaise. Auberge pour auberge. Cette Éva devait venir examiner la valeur réelle du café. Elle avait le mal du pays. M'sieur Léo Garrigue me parlait comme on parle à un responsable. Il m'a confié: «Ce con d'Armand n'avait plus toute sa raison, dopé par médicaments. Blessé à Beyrouth, gravement, n'aurait été d'aucune aide.» J'ai dit: «Il reste Dickerey!» Il a dit: «C'est pire. Un arriéré mental. Une tête brûlée, un cerveau fêlé.» Je me suis tu, très jongleur.

*

Chère mère, j'écris à la machine. Tu te souviens? Papa riait me voyant remplir de pleines pages avec des signes de $ ou des %

ou des ? et des &. Sans compter, ma prédilection, pour les *, les @, les # et les ¢...

Le cuisinier muet de l'*Albergo Da Blasio* était de Saigon. Léo ajoute: «Il s'est suicidé à Rome. Avant il a fait expédier au Tournesol les documents de Marinella exécutée dans cet escalier de la *Plaza di Spagna.*» M. Garrigue m'a raconté, me préparant ce matin des tartines aux confitures, qu'il ne croit plus en rien ni en personne. Il s'est fait manipuler dans des machines infernales avec des acolytes, Tamouls du LTTE, Catalans de l'ERCA ou Moudjahidin du Pãkistãn! Il répétait sans cesse: «Y a plus que le pognon qui triomphe! Les idéaux, les grands buts, ça s'aplatit devant le fric.» Coffré souvent, trahi par tous et même, me dit-il, par Daniel Ortega, il lui négociait de l'armement belge. Il me conseille la méfiance perpétuelle. Je lui ai dit: «Je n'aurai pas à me méfier. Je vais m'en aller bientôt, demain au plus tard. Faut que Dickerey sache bien que je dois rentrer chez moi.» Quelle surprise! J'entends Léo me répéter: «David, faut pas abandonner ce cave de Dickerey, c'est un fada. Il va se faire torpiller si tu veilles pas sur lui.»

Heure du lunch, grand jardin tout ensoleillé, c'était comme décidé: j'allais secouer Dickerey, lui recommander de s'en remettre à moi. Maman, étais-je devenu fou? Le soleil du Midi? Même M. barbu Garrigue, rempli de pastis, titubant, me consultait. En quelques heures, j'étais le chef du bureau où il y avait un ordinateur. Venu de Rome aussi, envoyé par le Vietnamien muet suicidé. Épais dossiers. Je feuilletais des rapports secrets. Toujours cette soupe aux lettres. Des listes avec des noms, des mots de passe, un code pour contacter «M. Nora» à New York, «Mlle Sam» à Boston, ou «les frères Stasso» à Florence. Dans un carnet de cuirette verte, un annuaire marqué «auxiliaires d'occasion». Des dizaines de personnes. À côté de certaines adresses, des notes manuscrites jugeant ces occasionnels collaborateurs. Des réseaux très organisés. Fiches roses ou bleues selon le sexe montraient la liste des alliés conditionnels reliés au monde de la pègre. Des soi-disants «bénévoles» payés en quantités variables de drogues dures. Je m'instruisais, chère maman, drôle d'école. Exemple, 11 000 réfugiés trouvent très facilement de faux passeports canadiens chaque année. La signature de Marinella, un fion, marquait certains documents. Le mot «secret» est imprimé. Estampille d'un cahier bleu, marqué *trading,* indique «ultra-confidentiel». C'est le trafic des armes par des tas de pays. On me laisse ranger ces documents romains. M. Garrigue, zézayant, m'y encourage. Maman, je suis maintenant en charge d'une entreprise qui me semble irréelle. Si papa voyait son petit gars. Lui et sa maigre cellule de patriotes des années soixante-dix! Dickerey se révèle bon cuisinier. Il a acheté tout ce qu'il faut pour, ma foi, des années!

Dickerey me dit: «Dave, c'est toi qui répondras de tout, je me mêle plus de rien. Je fais la bouffe. J'en ai trop vu. Toi, tu es tout neuf. Je lui ai dit que j'avais 14 ans. Il l'a cru, que je n'étais plus un enfant et que j'avais accepté, très volontairement, de servir comme faux fils de consul juif. Je lui ai dit que mon père avait été un éminent chef clandestin, disparu depuis 1970. Il croit tout. D'être derrière cette table imposante, Louis XIII, a spécifié Léo, m'a vengé, on dirait. Compensation pour ces jours de panique quand j'étais un paquet, espoir d'un échange de prisonniers politiques. Un de ces livres indique par qui il faut passer à Ottawa, comme à Washington pour tout savoir sur les mœurs et habitudes des ambassadeurs du monde. Les adresses de tous les bureaux reliés avec les pays arabes, y compris la Syrie, l'Égypte ou l'Arabie Saoudite. Dans un autre livre, on voit Rome et la liste des agences reliées à l'ambassade de la Colombie à Dublin! Notre planète tissée ainsi, reliée avec les fils d'araignées de magouilleurs. Léo dans le jardin, pastis à la main, bafouille: «Faut me dire la vérité, Dave. Est-ce bien vrai? Tu as été payé pour te trouver là le matin de ton enlèvement?» Faut voir son visage! Admiratif! Dickerey, lui aussi, me presse de raconter les détails. «Qui me commande en haut lieu?» répète ce faux concierge de Londres, l'ami de Jeff que Zaide a noyé à Montreux. J'ai menti, me surprenant moi-même. Un truc génial, combine déroutante: mon chef secret utilisant un gamin, moi, pour déjouer les stratèges clandestins. Les voilà épatés. Dickerey m'a dit: «On va t'obéir en tout, Dave! Dis-nous comment faire pour ne pas se faire mitrailler en allant au cinéma ou à la pêche. Je veux mourir dans mon lit.» Léo: «Oui, dans mon lit, en Martinique.» Me font pitié.

Le téléphone, je sursaute. Ne sais jamais trop quoi répondre. Une inconnue, tantôt: «Allô! c'est le nouveau? C'est Dave? On la pose cette bombe oui ou non?» J'ai dit: «Non! Attendez. Je donnerai le signal.» Farce grave. Qui a révélé que j'étais le nouveau chef depuis la mort de Marinella? Dickerey ou Léo? Ça va durer un jour? Deux? Il y a pas une heure, le téléphone encore: «Allô! Marinella?» Je dis: «Elle a été tuée à Rome!» La voix se tait un instant, puis: «Qui parle?» Je dis: «C'est moi, Dave. J'ai le concierge Dickerey et le barbu Garrigue avec moi ici.» La voix ajoute: «Qui mène?» Je gueule: «C'est moi! Dave!» La voix se fait plus timide: «C'est pour Bir-Zeith, on descend Awad? Il prêche la non-violence partout et Hanna s'énerve!» Je lui ai dit d'une voix qui se voulait grave: «Pas le moment. Vous allez tout embrouiller. Attendez. Dites à Hanna qu'il aille se faire cuire un œuf.» On me répond des: «Bien! Très bien.» On raccroche poliment. Je dis: «Ne bougez plus!», et on fait: «Entendu». Je dis: «Dispersez-vous vite sinon on vous attrapera dans l'heure.» Et on répond: «Comptez sur nous. Dissolution totale.» Terrible, maman, d'être un chef. Je pourrais dire: «Allez-y! Faites tout sauter! Agissez, tuez...» Effrayant! M. Garrigue écoute à ma porte et me dira: «Vous êtes un génie, David, c'est clair.» Je ferme les yeux et je baisse la tête. Une prof d'école m'avait dit ça, quand j'ai eu neuf ans: «David, vous êtes un génie, un enfant prodige!» J'avais réussi en une heure le collage complet d'une maquette de navette spatiale.

Maman, un illuminé dans une heure, dans une minute, viendra peut-être au Tournesol qui est «À VENDRE» et jettera un bâton de dynamite? Une grenade? Je serai tué. Tu liras tout ceci. Tu pourras dire: mon garçon a été, pas longtemps, le chef d'un réseau international de mercenaires de tous les horizons. On dira, dans la famille: «Il avait de qui tenir. Bon sang ne pouvait mentir.» Pauvre papa dont on n'a jamais pu retrouver le cadavre. Te souviens-tu du docteur Perron, le toubib des gueux. Il racontait à papa, que lui et ses patriotes avaient été des pignoufs contrôlés, sans qu'ils le sachent, par les chefs policiers. Aujourd'hui, je me rappelle le moment où papa m'avait confié. «Méfie-toi de tout le monde. Ne fais confiance à personne.» Il croyait qu'on l'empoisonnait. Il m'avait dit, un matin d'été que je pêchais avec lui: «J'ai appris des choses qu'il ne faut pas.» Tout me revient. Imagine, maman, si un vrai chef de réseau aboutissait ici, à Saint-Rémy, découvrant ce que je sais, vu et lu dans ces caisses de chez Da Blasio, de l'Éthiopienne aux cent noms? Serais pas mieux que mort. Me secouer. La nuit venue, je me fais un baluchon, un lunch de secours et je déguerpis. J'irai raconter mon histoire au maire ou à la police, à l'aube.

*

À cinq heures, aujourd'hui, j'étais à pitonner sur l'ordinateur, un garçon est entré, il tenait un ballon bleu énorme, il m'a dit: «Une femme veut vous voir au jeu de pétanque rue Gounod, à côté. Urgent, qu'elle a dit.» L'enfant, un peu plus jeune que moi, est ressorti comme il était venu. J'ai crié: «Dick, tu surveilles mal!» Je suis allé vers le patio. Dick y était mais étendu raide mort sur les dalles. J'ai crié. Deux filets de sang rougissaient ses énormes favoris grisonnants et sa moustache, aussi quelques touffes d'herbe qui poussaient entre les tuiles roses et vertes. Frissons. Léo Garrigue est descendu de l'étage où il a sa chambre et un petit bureau attenant. Je gueulais: «Venez voir! Dick saigne à mort!» Léo, encore ivre. Doit vider trois bouteilles par jour! Titubait autour du cadavre de Dick. «Il y a une femme qui nous demande, rue Gounod, au jeu de pétanque. Va peut-être expliquer cette exécution?» Léo y va en chambranlant. Moi, je cours à l'ordinateur. Je pitonne des numéros de codes. Au mot Dick, ou à Dickerey, Dickey, rien n'apparaît sur l'écran. Je saute sur le téléphone. Je sonne chez un certain «Noxema» à Avignon. Une voix fait: «Ici, Noxema.» Je dis: «Ici, David. Qui a tué Dickerey et pourquoi?» La voix ricane et m'assène: «On a pas besoin d'un con. Fallait descendre ce Awad.» J'ai téléphoné chez celle qui se nomme «Lucia», à Arles, c'est écrit sous son nom: «Filière Cisjordanie. Awad. Téhéran.» Un vieillard balbutie: «Lucia fait dire de tout brûler. Elle part au Pérou. En attendant, vous avez Jean-Paul 3.» Dans mon carnet vert, à Jean-Paul 3, je lis: «Torturé. Pinochet. Libre pour Paris. Résidence Aix-en-Provence.»

Sonnerie à n'en plus finir chez ce Jean-Paul 3. On finit par décrocher. Je dis: «Allo Jean-Paul 3? Ici, David.» Un moment et puis: «Écoutez, jeune homme, vous avez pris le contrôle mais c'est tard. Méfiez-vous de Léo. Le plus hypocrite.» A accroché doucement. Toujours me méfier! Léo reviendra-t-il avec cette femme du jeu de pétanque? Reviendra-t-il? Cette inconnue pourrait l'avoir assassiné. La mort ne me fait plus peur, sauf la mienne. Il y a, au fond de moi, quelqu'un qui veut revoir Alain, Benoît et Charles, aller taquiner le brochet au lac du grand-père, courir dans les collines chez tante Gertrude, finir la cabane dans le vieux saule. Oui, il y a un petit enfant qui pleure au fond de mon ventre. Demain matin, je suis libre. Je suis le chef. Je me lève très tôt et je disparais. Marcherai jusqu'à la première grand-route. Ferai du pouce, demanderai à être conduit à la plus proche des grandes villes. Marseille? J'irai à une station de radio, dans un journal, je dirai: «C'est moi, David, qu'on a enlevé par erreur il y a, il me semble, des années de ça. Pourquoi on parle plus de moi, comme si je n'avais jamais existé? Me voici!»

24

J'écris de nouveau à la main, cette nuit, ma pauvre maman. Me voilà revenu à mon état civil normal, celui d'un garçon démuni de nouveau, réduit au silence. Ça s'est passé très vite. M. Garrigue est revenu avec la dame. Femme ronde, nabote, se nomme Cécilia. Arrivait de Rome. M'a pris le bureau, l'ordinateur. Tout. Elle commande. A fait creuser un trou pour y enterrer Dickerey. Léo a accepté qu'elle invite au Tournesol tous les Palestiniens de l'*Albergo Da Blasio* errant en Camargue. A pas été long. Deux cars bourrés de ces réfugiés de Rome. L'édifice envahi par eux. De nouveau les cris, les chants, les pleurs, les rires, la musique. Le bordel romain du Monte Mario. Léo Garrigue a paru s'en réjouir. M'a dit: «Laisse Mme Cécilia agir, mon bonhomme. Elle est très douée.» Cécilia m'a fait venir dans mon ex-bureau, elle fume avec une longue pipe décorée d'ivoire, elle a mis des coussins sur sa chaise Louis XIII. Elle s'était installée. Je l'ai vu tripoter l'ordinateur avec dextérité, faire des téléphones. Changement de cap. Gueulait: «Faites-le! Finissez-en! Faites sauter vite! Tant pis! Des innocents? Chacun son destin! Faites tout sauter!» Drôle de femme, maman! Pas plus grande que moi, visage très rond.

Couvert de picots roux, cheveux frisés durs, grosses joues, bouche enflée. On dirait Berthe, ta modiste. En enragée, pas du tout la douce Mme Berthe. Pourtant cette Cécilia sourit sans cesse des yeux, démentant sa voix de harpie. Tu la croiserais dans une rue du quartier, tu croirais une bonne mère de famille, à la messe tous les dimanches. Elle est couverte de bijoux, une vitrine de magasin. Elle rentre ses grosses lèvres, consent enfin à me voir: «Mon pauvre garçon! Tu vaux pas cher. Tu es le fils de personne, le garçon de rien? Léo m'a dit que tu voulais servir? On va te mettre à l'ouvrage. La relève, il faut y voir. On va examiner de quel bois tu te chauffes.» M'a fait le geste de m'en aller, le téléphone ne dérougissait pas.

Sur la terrasse près de la remise du Tournesol, Léo m'a confié: «C'était la grande confidente de Marinella. Elle vit un deuil affreux. Sois gentil avec elle.» Ai dit: «On dirait qu'elle rigole par en dedans!» Il a dit: «Tu es fou? Jadis son mari a été torturé en Argentine, il en est mort. Son fils unique a été trouvé, le ventre ouvert, dans un dépotoir au Caire. Sa fille, quatre ans, un soir, Cécilia a trouvé sa tête dans un drapeau américain au milieu de son lit, à Fort Lauderdale, près de Miami. Cécilia a été une intime de Fidel Castro. Elle rencontrait Allende. Qu'elle tutoyait!» Léo n'en finissait plus de louanger cette amazone basse sur pattes aux immenses lèvres, aux bajoues plantureuses, au cou rond, gras, au triple menton. Je lui ai dit: «Elle me croit un des vôtres et m'a promis une mission.» Léo Garrigue: «Aller enterrer le cadavre de Dick, dans un champ au pied des Alpilles, ou sous les ruines romaines de Glanum, à côté.»

Garrigue, les nerfs en boule, il ne pouvait plus supporter son auberge changée en camp de piailleurs édentés. «Ces jeunes Palestiniens me font pitié mais je supporte plus le bruit. Je vais retrouver la veuve dans les Caraïbes.» Le soir est tombé, Cécilia est venue dans ma chambre, m'a dit: «Ton heure est venue!» M'a ordonné de monter à son bureau. Tout y était pêle-mêle. Une tornade était passée! M'a dit: «Avez-vous touché aux documents de Marinella, voyou?» J'ai dit: «Non! J'y comprenais rien.» Elle a grommelé: «C'est ce salopard de Léo.» Puis elle m'a forcé à m'asseoir sur ses genoux et m'a dit, maternelle, me caressant les cheveux: «Voici ton premier ouvrage, tu vas partir avec ce gros crétin. Tu vas le conduire dans ma Renault jusqu'à Fontvieille, pas bien loin d'ici. Rendu là, tu iras sonner à l'adresse qui est sur ce papier. Tu ramèneras la Renault. Bien compris?» Léo m'attendait à la porte, pastis entre les doigts.

Avec Léo, je roulais sous un ciel rempli d'étoiles et d'une grosse lune phosphorescente, on aurait pu éteindre les phares. «David, je me suis acheté ce mas dans les Alpilles. Je voulais me retirer. Ne plus rien faire. Oublier ma vie passée.» Il avait trop mangé et trop bu et s'endormait en parlant. Le moindre cahot le réveillait en sursaut: «Je suis né à Paris, rue Mouffetard, sans espace, dans le bruit perpétuel. Je méritais de finir mes jours dans la paix provençale. Mistral ou pas mistral!» Il se mit, entre deux cahots, à chantonner, une chanson de Brel. «J'ai vécu au pays de Brel, en Belgique. J'étais pauvre. Des moules et des frites. Pas mal de bière, elle est bonne là-haut. J'étais communiste dans ce temps-là, petit bonhomme. Farouche comme un con!» Je conduisais mal. Je savais si peu conduire. Maman, c'est cousin Ovila qui m'a appris à conduire, te l'ai jamais dit. Ovila buvait le bar de son père, proprio du *Pub du Nord* à Saint-Donat. L'été dernier, il m'a dit: «David, je vais t'enseigner à conduire mon tacot et tu viendras me chercher chaque soir au *Pub.*» Mais je conduis mal. Léo s'est énervé souvent en route vers Fontvieille. Soudain: «Tourne à gauche! Le moulin de Daudet, spectacle en plein air. On joue "Don Quichotte".» J'ai dit: «On a une mission, m'sieur Garrigue.» Il a dit: «Juste quelques minutes!» J'ai obéi en suivant les annonces découpées du fameux chevalier errant. «J'ai fait du théâtre en 1968. Un été de temps. Avec des carabins en révolte», m'a dit Léo devenu tout excité et enfin réveillé. «On jouait dans des villages, on jouait trois farces. Molière. Le plus bel été de ma vie. Je jouais les utilités et je faisais le régisseur. C'est dans ce groupe de saltimbanques que j'ai connu Marinella. Elle se cachait. Elle revenait des États-Unis où elle avait mis le tonnerre un peu partout. Cette fougueuse négresse venait de Savannah en Géorgie. La police américaine la cherchait partout. Elle songeait à se réfugier à Alger ou à Tripoli. C'est Jean-Paul Sartre qui l'avait recommandée à la troupe.»

La route 17, la 35, on a vu le célèbre moulin plein de monde, tréteaux improvisés, les gens assis sur le sol. Léo jubilait. On a pas vu le temps passer. Une grosse main tapait soudain dans mon dos: «On vous attendait, tit-gars!» Un géant très blond! Ça faisait bien une heure qu'on regardait les actrices et les acteurs, héros de Cervantes. Je connaissais bien, papa m'avait lu la pièce. Cette main si solide appartenait à un colosse vêtu d'une veste de matelot, le cou dans un foulard de soie jaune. «Venez vite! C'est pressé.» On va à Fontvieille, m'sieur?» Il m'a grogné: «On va où je veux, gamin!» M'sieur Garrigue est devenu tout triste, il regardait le spectacle en s'éloignant. Le grand blond en sandales noires nous a conduits vers un cabriolet moutarde, Volkswagen, tout bosselé. Il avait, maman, un accent polonais, celui du cordonnier de l'avenue du Parc. Avant de monter, il a collé sa grosse bouche à mon oreille: «Je t'avais dit: "Méfiance pour Léo."» J'ai reconnu la voix de l'un de mes interlocuteurs au téléphone. Il est allé à son volant, Léo s'amenait, maugréant d'être arraché au théâtre: «Le plus beau et le plus vrai», qu'il répétait dans la décapotable. C'était Jean-Paul 3, l'homme qui accusait Garrigue quand je me suis pris pour le grand directeur à bureau. Jean-Paul 3 sifflotait un air ancien des Beatles, *«Lucy in the sky with diamonds»*. Il sifflait faux. Me disais qu'il nous ramènerait plus tard à la Renault de Mme Cécilia. Où nous menait donc cette mission à trois maintenant?

On a roulé dans des chemins mal pavés puis dans un sentier de terre battue et la volks s'est arrêtée près d'un grand étang. J'avais lu Tarascon sur une affichette. Plus loin, un écriteau, indiquait Gard. Les phares du cabriolet rendaient l'eau d'un turquoise irréel. Le Jean-Paul 3 a dit: «Terminus, Léo! Tu débarques!» Léo nerveux, bafouillait: «Mais! Mais! Cécilia a dit qu'il y avait un sac à prendre.» «Le sac? Le voilà, salopard!» Le géant a sorti de sous son siège un grand sac de facteur en toile écrue. «C'est pour toi! Descends vite. J'suis pressé!» Bête reniflant l'abattoir, Léo s'est accroché à son banc, s'est mis à chialer. Un marmot mal élevé qui résiste aux ordres de sa mère. «Pourquoi? Pourquoi?» Le blond s'est penché, lui a donné un petit bec sur la joue en riant, a ouvert sa portière de force, l'a tiré sur le sol et lui a administré un coup de pied formidable. Léo s'est vu catapulté à deux mètres du char moutarde.

Oh maman! je pensais jamais voir tant de tueries si jeune! Un hibou crie. On aurait dit que c'était son signal d'agir. Le Polonais blond a sorti un pistolet de la boîte à gant, a tiré trois fois sur m'sieur Garrigue qui rampait comme un crabe. Je l'ai vu gigoter, trembloter et puis ouvrir les bras. Quelqu'un qui jette l'éponge à un match de boxe. C'était fini! «Viens m'aider à l'ensacher, tit-gars!» Avait pas besoin de moi. A soulevé la dépouille. Un grand geste et sans un soupir. Il m'a dit: «Ouvre grand, tit-cul, ouvre grand!» Yeux fermés, j'ai tenu le sac ouvert, l'a jeté dedans, flouc!, le sac m'a glissé des mains. L'a traîné au bord de l'étang turquoise et plouf!, à l'eau. Pauvre Léo qui m'aimait bien. Qui avait une cervelle d'oiseau, m'a raconté Jean-Paul 3 sur le chemin de retour vers Saint-Rémy. Quand j'ai dit: «La voiture de Mme Cécilia?» Il a dit: «Elle est déjà au Tournesol, gamin.»

25

On jouait de l'accordéon, de la flûte, des guitares au Tournesol; les lumières étaient allumées à toutes les fenêtres. J'ai dit au blond: «Pourquoi se débarrasser de Léo? Vous avez le droit de me le dire?» M'a griffonné un bout de papier et a dit: «Tu donneras ça à Cécilia. Quant au gros con, il fonctionnait avec un rouquin du nom de Zaide. Ton gros barbu mangeait à tous les rateliers. Il y en a trop parmi nous. Tu vois ce qui peut t'arriver? Va pas becqueter à toutes les mangeoires, sinon? Dans le sac!» Est reparti faisant grincer la crémaillère de sa volks moutarde. Me sentais très seul, maman. Ai pensé fuir. Ai encore hésité. Sans trop savoir pourquoi. J'avais changé. Tu me reconnaîtrais plus. Vu un autre homme se faire tuer et cela ne m'a rien fait. J'évite de me regarder dans un miroir. Le vice de la curiosité malsaine? Ai vieilli encore davantage, d'un coup sec. Me sens une sorte d'enfant-vieillard. J'écoute chanter ces tziganes, enfants sales, pauvres, capables de rire, de danser, de faire de la musique. J'en éprouve une sorte de honte. Je l'avoue: serais gêné de rentrer dans ma rue Hutchison, si tranquille. C'est étrange.

Mme Cécilia a surgi d'une allée conduisant à une sorte d'atelier où Léo fabriquait des santons de terre cuite. Son grand passe-temps, m'avait-il dit. «J'ai éteint le four, la dernière cuisson!» m'a dit la courte amazone. «On a eu une visite, mon cher. Un certain M. Jeff qui disait vous connaître.» J'ai crié: «Impossible! Il a été mitraillé sous le parvis de Notre-Dame de Paris.» Cécilia a dit: «Il ne faut pas toujours croire ce qu'on voit.» M'a entraîné vers l'auberge en me prenant par le cou, on a à peu près la même taille. J'ai dit: «Nous avons tué m'sieur Garrigue.» Elle: «Bon débarras!» Dans la salle, un squelette tzigane nous a servi des omelettes baveuses. Cécilia tout à coup: «Tu dois savoir qu'il y a eu un roi nommé David. Un très grand roi.» Je savais. Papa m'avait parlé de ce roi. À cinq ans, je m'imaginais devenir un nouveau monarque. Je me voyais, Don Quichotte, lourde armure, un héros sans peur et sans reproche. J'avais ma troupe de valeureux chevaliers comme le Arthur de la Table Ronde d'une autre histoire. Nous galopions vers des forteresses à prendre. Nous allions aider les gens mal pris, abusés. Nous étions de farouches délivreurs de tous les désespérés de la terre. Oui, j'ai trop rêvé. La naine bouffie me prend les mains, les ouvre, semble lire dedans, me dit gravement: «Si tu veux, tu pourrais devenir une sorte de monarque. Si tu le souhaites fort. Tout se peut. Il ne s'agit que de désirer avec force.»

Après avoir mangé, Cécilia m'a entraîné vers l'atelier de Léo, le potier, m'a ouvert ses livres. Des histoires de cabales secrètes, elle me racontait les prophéties du moine Malachie l'Irlandais, de Nostradamus qui vivait pas loin à Salon-de-Provence. Elle s'excitait en glanant des textes sur l'ésotérisme. Je ne comprenais pas tout. Elle m'a fait les tarots. A lu l'avenir dans une boule de cristal. Une sorcière? Elle m'a confié soudain: «Ces jeunes réfugiés de Rafah ne songent qu'à s'amuser, c'est un échec.» Cécilia, subitement, s'est mise à casser les santons de m'sieur Garrigue. Les personnages de glaise se fracassaient, mutilés muets, dans tout l'atelier-bibliothèque. Elle a fini par se calmer: «C'est un fameux psychiatre de chez vous qui nous recommande de recruter plutôt des orphelins surdoués. Tu en es, David Lange!» Elle connaissait ma véritable identité. J'ai dit: «Je veux revoir ma mère!» Elle m'a encore pris sur ses genoux, me répétant: «Tu peux jouer un grand rôle.» Cécilia est forte, me tenant dans ses bras si courts, elle me sort un document «unique», dit-elle, qui serait une copie d'une révélation faite par une voyante à Fatima, au Portugal, une certaine Lucia Dos Santos. M'explique que l'hiver nucléaire est à nos portes. Qu'il faut s'y préparer.

Je me suis endormi. Cécilia me racontait la dure et pure Marinella, un Léo Garrigue déviant, ayant osé contacter les ex-révoltés roumains de l'ADR. Chaque fois qu'on me sert la soupe aux alphabets, je pars. Je m'endors. J'ai fait un songe fou. Il y avait des Roumains, il me semble, ou bien c'étaient des Yougoslaves, en tout cas, de ces gens comme j'en voyais à la télé lors de reportages sur l'Est. On promenait une grande statue de sainte Marie, qui était noire comme une Sainte Vierge polonaise. Au lieu d'un rosaire, elle tenait une ceinture de grenades explosives et indiquait de son index droit une planète. Sysimbre? Cette planète dont Cécilia m'avait parlé tantôt? J'étais à cheval. Vêtu d'un habit de fer! Comme grand-papa m'avait offert, en plastique métallisé. Léo pleurait, enchaîné parmi un cortège de nos prisonniers. J'ai revu tout le monde. Dans un camion de l'armée il y avait mes frères. Thomas était dans tes bras, maman. Ils pleuraient. À cheval, à mes côtés, Alain, Benoît, Charles. Je jouais le fils du consul. Ses parents tenaient des cierges allumés en signe de reconnaissance. Nous allions vers une étrange cité dans un désert de sable. On aurait dit une image sainte. Marinella apparut dans la cour d'un château. Reine noire? Je me suis réveillé. Le four à santons émettait une lueur jaune vive, par son mini-hublot d'observation. Dehors des tourterelles roucoulaient à pleines gorges. C'était le matin. Plus de Cécilia et ses vieux grimoires savants. Suis sorti de l'atelier en vitesse. Il n'y avait plus un seul livre sur les tablettes. Plus rien.

*

J'ai mangé dehors, dès l'aube, avec les petits Palestiniens. Ils aiment rire avant tout, eux qui viennent de la misère. Me suis souvenu de David Livemann me disant: «Chez vous c'est joyeux!

Chez moi, on a tout et on s'ennuie!» Ces bohémiens sont apparemment insouciants. Je ne ressemble plus aux enfants. Me suis trouvé plutôt lugubre, incapable de rire. C'est que j'ai peur. Cécilia trimballe maintenant une mitraillette en bandoulière, sur son dos. Je l'ai répété à un des jeunes réfugiés de Gaza: «J'ai vu tuer un homme, hier soir.» L'enfant a dit: «J'en ai vu crever cinq d'un seul coup! Une seule bombe: padaboum! En l'air, bras et jambes s'arrachant de leurs corps.» Des santons? Je m'étais confié à ce maigrichon parce qu'il avait dans le regard un voile de tristesse semblable au mien. Cette tuerie! Le premier cadavre que j'avais vu était celui d'une fillette noyée, gonflé. Nous étions au lac chez tante Gertrude. Ça m'avait hanté des mois. Hier soir, durant le carnage des santons, me suis rappelé de cette silhouette, place du Vatican, semblable à celle de mon père. J'ai demandé à Mme Cécilia: «Est-ce que mon père est vraiment mort?» Elle m'a crié: *«L'homme ne meurt d'aucune mort»* a dit l'esprit du défunt savant Bertrand Russell au jeune médium Matthiew Manning.»

26

J'écris en rouge. Je préfère les feutres au stylo, c'est curieux. Écoute bien, maman, je ne pourrais plus redevenir qui j'étais. Ne pourrais plus jouer à des jeux insignifiants. Avec Charles, Benoît ou Alain. C'est fini. On m'a volé mon enfance. J'en ai trop vu! Quelque chose est cassé au fond de moi. Ils m'ont arraché quelque chose à partir du matin où j'ai été enlevé. Par erreur? Je ne sais plus. Cette joie que je portais en moi qui faisait dire à mon papi: «Cet enfant-là est doué pour le bonheur.» Ça n'est plus vrai, maintenant. Sans tout comprendre, on m'a appris que la haine est répandue aux quatre coins de notre planète. Je ne sais pas comment revenir. J'ai peur de rentrer. Si c'était faisable, je sais plus si je dirais «oui». Je crois que j'irais d'abord dans un monastère, un couvent quelconque. J'aurais besoin d'une longue retraite d'abord. Comme d'être hospitalisé pour aucune maladie précise, juste parce qu'on m'a arraché mon innocence. Comme tante Marie-Yvonne qui fait dépression sur dépression sans que personne puisse expliquer pourquoi. «Anémie pernicieuse» disait grand-papa à propos de ta sœur Marie-Yvonne. T'en rappelles-tu?, il n'y avait que moi, mes cabrioles, mes culbutes de singeacrobate, pour la faire sourire. Maman, c'est moi qui serai mis dans une clinique si je ne me sors pas bientôt de tout ça et tu viendras, toi, essayer de me faire sourire.

Il était midi quand Cécilia m'a fait convoquer dans mon ex-bureau de la salle à manger: «Bravo pour hier soir. Jean-Paul 3 m'a dit que tu avais été solide. Tu dois savoir qu'en 1988, à Brasov, en Roumanie, alors fasciste, il y a eu *soudain* dix mille émeutiers. Tout peut survenir.» J'ai osé dire: «Malheureusement, m'sieur Garrigue ne pourra plus les aider ces Roumains libérés, on l'a tué hier.» Elle s'est empourprée: «Ce gros lard, au contraire, avait déjà offert nos services à Nicolae Ceaucescu. Léo était-il communiste? Non, rien qu'un arriviste! Il fallait répandre le feu partout, en Hongrie d'abord et puis en Tchécoslovaquie.» Je comprenais mal toutes ces salades politiques. Cécilia détestait-elle vraiment les communistes? J'ai dit: «Faut-il se méfier aussi de m'sieur Jean-Paul?» Cécilia a eu un rire de coq triomphant: «Il se prend pour un pape. Il est déjà loin, notre rêveur.» Je voulais tant comprendre, paraître intelligent, j'ai demandé: «M'sieur Garrigue qu'il a tué, il voulait s'en aller, il allait démissionner de tout, partir vers les Antilles. Une veuve a acheté le Tournesol ici.» Elle m'a semblé très surprise: «Qui est cette veuve des Antilles, David?» Ai dit ce que je savais. Cécilia contrariée. J'ai continué: «On n'a jamais retrouvé le corps de mon papa en Floride.» Elle m'a regardé en hochant la tête. J'en ai par-dessus la tête d'écouter Mme Cécilia qui, remuant de son énorme derrière, n'arrêtait pas de me tirer partout pour m'indiquer où trouver les carnets et les listes secrètes d'un réseau qu'elle nommait: «Vélar». Elle me répétait sans cesse: «Tu n'oublieras pas? «Vélar» est le nom de code pour ''Sysimbrium''.» Elle allait et venait entre des cartables, des classeurs, me déclinait son nouvel ordre. Une mère nerveuse se préparant à un long voyage et donnant ses recommandations à un gardien de sa propriété. Les cheveux dans le visage, de s'être tant remuée, elle a fait «ouf!» et est allée enfin s'étendre sur un divan verdâtre. «Je t'ai parlé de la Roumanie, faut que j'y aille. David, tu vas commander le fort. On a tous confiance. Tu pourras me contacter via un certain Herr. Prends soin de ces réfugiés. Ces gens dépenaillés sont sans patrie, perdus. Je te les confie.» J'ai dit: «M'sieur Herr a été tué, lui aussi, à Paris.» Elle a dit: «Non, c'était une feinte.» Je n'en revenais pas! Elle m'a fait asseoir dans le fauteuil de bois sculpté: «Tu seras leur chef et leur guide. En cas d'urgence, une adresse codée, en Roumanie, si jamais on tuait Herr pour vrai. Ce qui n'est pas impossible. Madrid le veut, mort ou vif, à cause du printemps 85. En 1987, il s'est rangé avec le FSNP. Eh oui! l'anti-FDLP.» Encore la soupe aux lettres. Elle était partie: «Les pro-Syriens du FSNP ne peuvent plus couvrir Herr; il sait que deux émissaires du «Bataillon de la libération» de Beyrouth se sont mis en marche dans le but de le descendre!»

*

Feutre rouge. Maman, est-ce une façon de parler à ton petit garçon. La grosse Cécilia croit fermement que j'étais prédestiné? Que je serais roi un jour? A commandé à Ahmad, cuisinier du Tournesol, des côtelettes d'agneau et des boissons gazeuses. M'a dit: «La dernière cène!, mon cher David. Après, je vous abandonne les rênes. Quant à cette veuve, aussitôt qu'elle débarque, Ahmad va la faire cuire au grill. Il a l'habitude.»

Ai mangé nerveusement, ne voulais pas du tout devenir le régent de ces gitans en haillons même si leurs chants et leurs danses me font du bien. Eu envie de chialer. Me disais que Cécilia verra bien que je ne suis vraiment pas un adulte, qu'on ne peut me léguer aucun pouvoir. Elle riait, la bouche pleine de gâteaux. Allait à toutes les fenêtres du Tournesol blaguant, me montrant les silhouettes remuantes dans les jardins éclaboussés de soleil. «Regarde le grand noiraud, vrai maquereau, il a fini par suborner au moins six fillettes d'ici!» Ou bien: «Tu vois cette grosse poupée gonflée sous le platane moisi? Jadis, c'était un gaillard musclé. Il se hait. C'était un tueur efficace.» J'ai dit: «Est-ce qu'ils auront une patrie, un jour?» Elle: «Non. Il est trop tard. Sept fois sept générations vont périr.» Elle se remit à rire et ajouta: «Si ce tueur était un riche Américain, il se ferait opérer, serait un transsexuel.» Je voulais me sauver, maman, fuir. Mais où? Comment? Cette gentille Cécilia peut tuer. Comme le blond Polonais a pu tuer le potier barbu, Léo Garrigue. «On va t'étrangler si tu tentes de t'évader.» Ahmad, par exemple, simple cuisinier en apparence, lui aussi, un tireur d'élite?

J'écris rouge, la colère mais aussi la honte, l'impuissance. Honte de ne plus savoir ce que je suis, ce que je deviens. Suis retourné dans ma chambre après les adieux de Mme Cécilia. Je reverrai sans doute m'sieur Herr, le faux mitraillé, en tournée d'inspection. Cécilia partie en Roumanie exciter les revanchards pro-Ceaucescu? Jean-Paul 3 va réapparaître? La veuve-acheteuse du Tournesol va se pointer? Je lui dirai: «Voici votre auberge, chassez ces squatters. Donnez-moi un peu d'argent, je dois prendre un train pour Paris.» Je n'alerterai pas Ahmad. J'irai à l'U.N.E.S.C.O. Je ferai une déclaration devant les reporters du monde. J'exigerai que l'O.N.U. s'en mêle. Je dirai au monde entier: il y a des gens partout qui, malgré les révoltes en Europe de l'Est, travaillent à semer la discorde aux mille voix. N'aiment que les chamailleries, en profitent. On ne sait de quel côté ils vont se tourner. L'argent les pourrit à tour de rôle. Mesdames et messieurs, ces mercenaires forment de vastes réseaux de prostitution politique. Terrible. Je serai terrifiant. Il y aura un grand moment de silence dans le monde. Moment de réflexion. Les présidents, riches ou pauvres, comprendront qu'ils doivent rompre avec ces furieux. Je rentrerai chez nous, maman, prendrai Thomas dans mes bras, l'installerai dans une poussette, irai le promener au parc Jeanne-Mance.

Je me répétais, il faut que je sorte de cette mascarade, que je redevienne semblable à l'enfant que j'étais le 13 mai dernier. J'obéirai à ma mère, serai plus gentil, l'aiderai au ménage, à élever les plus jeunes. Irai faire des ménages à sa place. Je comptais sur Jean-Paul le Polonais. Je le retrouverai avec l'ordinateur. Lui ferai comprendre le bon sens. Suis un enfant plongé trop tôt dans ses marmites. En gagnant ma chambre, j'ai aperçu des gitans faisant l'amour. Je refermais les portes laissées ouvertes; la chambre de Léo était occupée par des joueurs d'échecs qui m'ont fait de respectueux saluts. Ainsi Cécilia avait annoncé que j'étais leur chef? Partout des bouteilles de vin vides; on avait volé la cave du Tournesol. J'ai dit à un tzigane à l'air grave: «On a pas le droit de se livrer à un saccage de l'auberge.» Il m'a dit, hésitant: «Madame Chef l'a dit: servez-vous! Le patron du Tournesol est mort!» Être un vrai chef. Suis sorti et ai couru vers l'atelier de Léo. Ouvrir le four. L'intuition qu'on y avait mis quelqu'un. Peut-être Jeff revenu ici par magie? Je me suis heurté à Jean-Paul 3, menaçant, dans une allée des jardins. Il m'a dit: «Où tu vas, petit chef?» Ai répondu: «Aider au départ de Mme Cécilia.» Il a ricané et m'a jeté: «Elle est cuite!» Le mot même de dame Cécilia à propos de Jeff hier soir. Oh! maman, c'était la vérité. Je la découvrais un peu plus tard. Cécilia avait été enfournée vivante, le thermostat indiquait déjà mille huit cents degrés!

Dans l'allée, pas certain de la vérité, ai crié à Jean-Paul, qui se roulait une cigarette dans sa bagnole moutarde: «Vous avez pas fait ça? Elle partait aider les Roumains!» Jean-Paul, le sourire en coin, m'a fait un petit salut militaire: «C'étaient les ordres de Vélar pour Mme Cécilia qui s'entêtait à partir pour Seoul au lieu de Braşov.» J'ai crié: «Non! Erreur! Comme pour Léo qui voulait la paix, qui partait pour les Caraïbes!» Jean-Paul 3 a éclaté d'un rire tonitruant: «Soyez pas naïf, petit chef! Léo mentait comme il respirait. Vélar lui avait ordonné d'aller soutenir les curés pro-sandinistes. Ce con de Garrigue tenait mordicus à ces caves anti-Castro de Miami.» «Faux, insistais-je, il y a une veuve qui arrive ici bientôt, vous verrez.» M'a jeté un sourire attendri, celui d'un-qui-sait-tout. Complaisance humiliante: «Je vous jure, petit chef! La Cécilia n'avait qu'une idée en tête, courir à Seoul pour activer l'opposition au Président, Roh Taw-Woo. Une tête de cochon. On a offert, à Cécilia, Haïti, avec envoi massif d'armes et de fausse monnaie. Non. Madame tenait à sa Corée du Sud.» Il souriait, ricanait, me soupesait du regard, le sphinx et l'innocent. Je ne voulais plus rien savoir. La terre entière m'apparaissait comme un lieu à trafics louches. J'avais mal partout, maman. J'en avais assez, plus qu'assez de leurs combines aux quatre horizons. Leur mappemonde comme un atelier gigantesque où des fours allumés incinéraient des Cécilia désobéissantes. En un éclair, j'imaginais tous ses bijoux fondre, son corps se réduire, se ratatiner davantage. Un cauchemar. Je me disais, maintenant je dois partir. Dès ce soir, que je me répétais, marchant vers ma chambre. J'ai entendu démarrer la Volks moutarde et encore ce rire sardonique du géant blond. Ma chambre était envahie de fillettes en prières. Allah? C'était une chapelle? On avait sorti les meubles et mis mon lit en l'air sur deux pattes. C'était clair: me restait plus qu'à m'échapper, échapper à Ahmad qui faisait sa ronde, armé jusqu'aux dents. Par n'importe quel moyen, je devais me sauver du Tournesol. Alors, sans rien prendre, pas même un coupe-vent, j'ai fait celui qui va acheter un pain au coin de la rue.

27

Je me suis engagé dans le grand parterre. Ahmad, le cuisinier, soignait un enfant blessé. J'ai pris la ruelle, du pas tranquille de celui qui musarde. Sur le vieux réverbère, le dernier, un bout de carton, signé J.-P. 3.: «Ai stoppé le four, la cruche est cuite. Viendrai chercher ce pot de chambre ce soir. Dois aller faire une course pour un peu de fric U.S.A. Vous en aurez un bon morceau pour nourrir vos goinfres.» Près des grilles, à la sortie du domaine, j'ai trouvé sa grande écharpe jaune: «Les Américains sont souvent de notre côté» m'avait dit Cécilia. «Surtout qu'on tape parfois sur les Bolcheviks» avait renchéri un Léo encore vivant. Je comprenais donc que mon Polonais allait chercher la paye pour la mort du Bolchevik flottant dans un sac dans un étang de Fontvieille. D'instinct, j'ai refermé la grille avec le sentiment clair d'abandonner un lieu sordide. C'était facile! Trop? J'étais libre, je ne serais pas le chef d'une bande de noceurs s'enivrant à même la réserve du Tournesol où achevait de cuire dame Cécilia. N'avais donc qu'à décider de ma liberté? Je tremblais un peu. Ai pris le chemin de la Combette. Ai tourné à droite, avenue Durand-Mailhane. Y avait une terrasse. Ai voulu m'asseoir un instant. Pour me calmer. Réaliser mieux ma sortie. Un serveur est venu, ai dit: «Je reste pas». M'a dit: «C'est la tournée du patron aujourd'hui. Gratuit. Tu as droit, mon garçon, à un beignet et une orangeade.» Est parti en vitesse, est revenu avec son plateau. J'aurais pas dû rester. Ça n'a pas été long que le pot-de-moutarde-à-quatre-roues a surgi! «Petit chef, faut pas laisser nos gitans sans surveillance, ils pourraient faire un feu avec les tentures!» Ai dit: «Il y Ahmad, moi, je peux plus rester.» J'ai ajouté: «Ma mère doit être très inquiète, m'sieur Jean-Paul.» Il m'a comme contemplé. Et puis: «Écoutez-moi bien, David. Je viens de câbler des éloges sur vous au camp Vélar! Vous avez un bel avenir, une mission en Cisjordanie. Vous serez avec de jeunes frondeurs.» J'ai crié: «Je veux plus entendre parler de ça.» Deux serveurs se sont rapprochés. Le grand blond a souri, s'est gratté nerveusement le cou, m'a dit: «Soyez prudent, David!» J'ai crié un peu moins fort: «Assez de vos histoires de sang et de mort. N'y comprends rien. Suis un petit garçon, ai droit à la paix, au bonheur!» Maman, les visages de mes petits gitans me sont revenus en mémoire. Le mot «bonheur» avait sonné faux. Jean-Paul 3 m'a entraîné amicalement vers la rue et il a dit doucement: «Mon payeur travaille pour l'Unwra qui est l'Office de secours des Nations-Unies aux réfugiés palestiniens et m'a dit: le jeune David devra apprendre la langue. Du travail du côté de Gaza.» J'ai vomi le beignet. Personne ne voulait m'écouter. On me voyait déjà envoyé auprès des mal pris? J'ai regardé le ciel, désespéré. Petit nuage rose. Ça m'a donné un peu de courage. Tout ce beau ciel si bleu! Jean-Paul, tout doucement: «David, des enfants de six ans, là-bas, ont des charges terribles? Tu ne sais rien. On ne t'a rien appris. Tu étais un garçon aveugle comme les autres.» Je marchais rapidement. Me suivait. Ai dit: «Mon père est mort! J'étais tout jeune!» Il a stoppé et a bien articulé: *«L'homme ne meurt d'aucune mort!»* La phrase de Cécilia-au-four! Il m'a rejoint et a fait: «Je voudrais qu'on devienne des amis.» J'ai dit: «Jamais! Je ne serai jamais l'ami d'un tueur.» Il a dit: «Vous avez bien tué un certain Doublevay, à Londres. De sang-froid.» Il savait. Savent toujours tout ces gens-là. Comment ne plus jamais les croiser. Soudainement, il m'a tiré par l'épaule et a dit en prenant un visage grave, je le reconnaissais moins: «Entendu. Je vous laisse aller. Vous rentrez chez vous. Avant, vous allez m'écouter vous dire deux choses. On ne se reverra plus jamais si vous voulez.» Un banc dans un petit square. Beau soleil, fleurs, chants d'oiseaux. J'avais le cœur en compote, les oreilles bourdonnantes. Le soleil chauffait tant qu'on aurait dit un brasier peint par Vincent Van Gogh. Grand blond sur la pelouse regardait ailleurs, les jambes repliées: «Je suis né en Pologne. De là ce surnom de Jean-Paul 3. J'ai été un enfant. Mon père a été tué à l'époque des grèves de *Solidarité*. Ma mère a suivi, morte d'ulcères, morte de chagrin. J'en ai assez moi aussi, du Liban et des chiites, de l'Éthiopie et de l'Ulster, de l'Albanie et de la Palestine, du Sri Lanka et des Basques. David, il y a un grave problème, le Sud. De tous les continents. Ça va exploser bientôt. Tu m'entends? Tu peux t'en aller maintenant. Rentre chez toi. Oublie tout ça, mais tu vas voir pire que ces chicanes. Le pape pourra donner l'accolade à Gorbatchev ou à qui lui succèdera. Au Sud de l'Europe, de l'Amérique du Nord, de l'Asie, c'est souvent la misère. Tu peux t'en aller. Rentre chez toi. Ahmad est parti. Je vais aller nourrir les réfugiés du Tournesol et je finirai par trouver quelqu'un dans Saint-Rémy. J'ai à faire.» Il me paraissait moins jeune, comme accablé. Subitement, il avait cent ans! Lui ai dit: «Attendez, la deuxième chose, c'est quoi?» Il s'était éloigné. Est revenu vers moi. Semblait hésiter à parler, a marmonné: «Oh! Ce serait inutile. Il s'agit de toute la planète. Si tu vas à Vélar, un jour, tu l'apprendras.» Est reparti. Pas lourd. M'a paru vraiment bouleversé. L'ai regardé s'éloigner. Il marchait dans le caniveau, ses longues jambes, sa petite tête ronde aux cheveux blonds frisés durs, sur son si long cou, son torse d'athlète olympique. J'ai eu mal au cœur un moment. Il a disparu dans un tournant. Était allé reprendre son cabriolet. Avec l'argent de l'Unwra, il ira chez le boucher, chez l'épicier de Saint-Rémy. Il ira défourner la Cécilia? Il n'y aura aucune veuve antillaise réclamant le Tournesol? On m'a menti? Tout le monde. Ne voulais plus replonger dans un monde d'espions, d'agents secrets, de commis idéologiques, d'estafettes défroquées de clans divers. En avais assez vu et entendu. Sortant de Saint-Rémy, je me sentais redevenir un garçon normal.

J'ai aperçu une librairie-papeterie; sa vitrine regorgeait de milliers d'accessoires divers. Ai songé à cette misère en Afrique, aux Indes. J'ai eu un petit point. Rien du tout. Pas les affaires d'un jeune garçon. Je suis entré. J'ai toujours pensé que les gens de librairie sont des gens de compréhension. Dans le magasin, tous ces journaux, ces magazines, des murs entiers de livres neufs de toutes les couleurs. Ailleurs, plein les tablettes, papiers, cartons, encres aux teintes diverses, objets utiles pour peindre, dessiner ou rédiger des albums comme je fais en ce moment dans une chambre d'un modeste hôtel de Nice sur la Côte d'Azur.

Je reviendrai sur Nice, maman, mes chers frères. J'entre donc chez ce papetier. Un homme, derrière sa caisse, me dévisage. Le regarde aussi. Sais pas quoi lui dire. Par où commencer? Je repassais des phrases dans ma tête. Ça n'allait pas. Ne me voyais pas lui déclarer: «J'ai été enlevé le 13 mai, c'était une erreur. On m'a pris pour le fils d'un consul d'Israël. On m'a traîné de force à Burlington et puis en Angleterre...» Non! Plutôt dire carrément au libraire: «Pouvez-vous téléphoner chez moi, c'est en Amérique, c'est à Montréal, au Québec?» Non. Sortir vite ou alors demander où se situait le poste de police, ou la plus proche église. Voir un curé, lui demander asile quelques jours. Le temps de me retrouver. Tampon. Une pause. Je pensais à Mme Cécilia. Cuite à mort. Je pensais au gros Doublevay perdant ses papermannes quand j'ai tiré sur lui. Avait-il joué au mort sachant le revolver chargé à blanc? Marinella échevelée, si noire, tuée dans l'escalier de Rome: une partie de la comédie tragique que l'on avait réglée pour dérouter des espions? Tout tourbillonnait dans ma tête. Ah oui! me disais-je, je ferais mieux de m'enfermer quelques jours dans un monastère. N'importe où en Provence. Faire dérouler au ralenti ce film vécu? Ça m'était tombé dessus, il me semblait, il y a des mois et des mois. Demander au libraire quel jour de mai nous étions. J'ai si mal mangé, si mal dormi, ai fait tant de mauvais rêves. Quel jour on est? Quel mois? Alors j'ai ouvert le bec pour demander: «Quel jour nous sommes, s'il vous plaît?» Le type de la librairie m'a souri. Premier sourire humain depuis mon kidnapping. Il a dit des mots mais n'ai pas compris. Ai vu remuer ses lèvres. N'ai rien entendu. *Je est ailleurs.* Je revois Jeff, Zaide, Fasano-le-seigneur, cet aveugle qui ressemblait un peu à mon père, qui entre à l'*albergo,* qu'on rejette à la rue comme on chasse un cabot. Au libraire souriant, j'ai dit: «Merci, m'sieur», suis sorti fin de l'avenue Durand-Mailhane. Quelle heure pouvait-il être? Il faisait sombre et pourtant le soleil était au milieu du ciel de Saint-Rémy. Puis, deux fillettes, à peu près de mon âge, sont passées près de moi en se tiraillant. Riaient. À ma hauteur, une des deux a fait: «Bonjour, David!» Ai sursauté. Je rêvais: elle n'a pas pu dire mon nom! Je dois être fiévreux. Avais chaud et froid en même temps. La terre s'est mise à bouger, le ciel à tourner. Des éclairs. Éclairs de chaleur, disait maman... je me suis senti qui tombait, tombait. N'en finissait plus. Me suis accroché à un arbre du bord de la rue. C'est la faim, me disais-je. Les fillettes s'étaient retournées, ne riaient plus du tout. Une des deux me pointait de son index, sa bouche a grimacé. L'autre a crié, petit cri qu'on étouffe, la main à sa bouche. Une sirène au fond de ma tête. Et puis tout silence et noir absolu.

28

Après? Après ça, j'étais dans la cabine d'un gros camion de routier. J'ai ouvert les yeux. On roulait vite. Le conducteur m'a jeté un regard et m'a frotté la tête et a dit: «Ça va mieux, oui?» Il ressemblait au laitier, qui chante tout le temps quand il vient livrer rue Hutchison, *le merle*. C'est toi, maman, qui l'a baptisé. Ce camionneur rit sans cesse, un M. Miron. J'étais donc avec M. Miron dans son camion, non? Non, pas du tout! Ça aurait été trop beau, moi, rapatrié me promenant avec M. Miron dans son camion de produits laitiers. Il m'a dit: «Mon nom est Georges, salut! Je fais Marseille-Nice tous les jours. Je livre des fruits de mer. Ce camion est un gigantesque frigo ambulant.» Il a siffloté «La mer». Comme le livreur Miron, il est tout joyeux. Lui ai dit: «Qu'est-ce que je fais avec vous?» Il rit: «Je vous livre!» Je dis: «Où? À qui?» Le cauchemar recommençait, maman. Il a dit: «C'est Tit-Jean, Jean-Bon apôtre qui m'a payé en disant: conduis-le à l'aéroport de Nice. C'est un orphelin mal pris.» M. Miron-le-faux exhibe une enveloppe brune. «Il y a plein de billets là-dedans.» Il me rebrasse les cheveux: «Votre parrain, Jean Paznanska?» Je reste prudent: «De quel Jean vous parlez au juste?»

Le routier dit: «Voyons! Tout le monde le connaît le saint Polonais de Marseille, d'Avignon. C'est un nouveau Vincent de Paul!» Drôle de saint qui descend ce gros aubergiste-potier du Tournesol! Georges resifflote «La mer». Peau très bronzée. Cheveux très noirs. Il rit à gorge déployée voyant au bord de l'autoroute un grand cheval blond perdu, galopant sans but. Je rêve? Le vacarme du moteur me dit «non». Soudain je gueule: «Votre Vincent de Paul a descendu un homme sous mes yeux, du côté de Fontvieille, et il a fait cuire une femme. Dans un four à céramique. Une femme vivante!» Je ferais mieux de me taire sur tout cela? Le bronzé, Georges je-sais-pas-qui, m'a jeté un regard ahuri. Visage assombri, celui du type qui se dit: je suis avec un enfant fou! Je me le promets: je vais rentrer au pays et ne dirai rien, parlerai de rien. L'homme tué dans Earl's Court, à Londres, la négresse superbe abattue dans un escalier, à Rome, ce Zaide Blass mitraillé place du Vatican. Me taire. Ne plus l'ouvrir. Si on me demande: «Où allez-vous?» ou: «Qui êtes-vous? Ne dirai rien. Sauf: «À Nice, où me conduirez-vous?» Il cesse de chantonner: «Saint-Jean m'a dit que vous aurez un billet d'avion pour Paris. Vous connaissez des gens dans la capitale, je suppose?» questionne-t-il. Lu «Fréjus» sur une tôle. Je reste une moule. Fermée. Silence sur tout. Ne rien dire. Ce Georges, encore un masqué peut-être? Un mercenaire à idéologies variables selon qui paye le mieux? Me taire à jamais. Maman, je me disais: «Revenu à la maison, je dis ''bonjour''. Je t'embrasse. J'embrasse mes trois frères, Thomas, Simon, Laurent et je ne dis rien.» Tu demandes: «Ça n'a pas été trop dur?» Voulant tout oublier, rue Hutchison, je répondrai: «Non! Ont été gentils. Étais bien nourri, n'ai eu à souffrir de rien. Content d'être de retour.» Point final. Effacer ce mauvais moment de mon enfance, retourner à l'école.

J'essayais de chanter, siffler. Soudain il a dit: «Oh merde! Faut que je livre un stock à Cannes. Ça va être encore les emmerdes, foutu festival.» Il a manipulé ses leviers, ralenti en grondant. On sortait de l'autoroute. On a pris la nationale 8, Cannes, plein de monde dans les rues. Georges en face d'un hôtel rococo: «Bouge pas, mon garçon, ça va prendre cinq minutes!» J'ai eu besoin de me délasser les jambes. Ainsi, évanoui à Saint-Rémy, le blond bon apôtre veillait dans l'ombre. Il a payé ce Georges pour livrer le colis à Nice. Moi? Il a réservé un billet d'avion pour Paris. Toujours me méfier, oui papa, oui Mme bien-cuite Cécilia. Me méfier sans cesse. Pourquoi Paris? Pourquoi d'abord Nice? Pourquoi pas Berlin? Ou Londres? À Paris, il y aura encore un bon samaritain, un zélote de Jean-Paul 3? Un autre billet? Pour New York ou pour Montréal? Me méfier. Cannes brille sous un soleil radieux. Des affiches du Festival du film pendent partout, en bannières. À ce coin de rue, Pasteur, larges banderoles au vent. Si j'allais vers les dirigeants de ce festival: «Vous voulez du cinéma vrai? Je vous raconte mon odyssée?» Ai imaginé des producteurs se grattant la barbiche: «Vraiment? C'est pas croyable?» La boucler. Je ne m'éloigne pas trop du fardier frigorifique. Voici Georges, portefeuille dans une pince et factures signées entre les dents: «As-tu soif? Veux-tu quelque chose?» C'est décidé. Ne plus parler à personne. Maman, toi aussi, tu te tairas? Notre secret? Tout ce qui est écrit dans ces livres dans mon coupe-vent. Georges a acheté deux orangeades d'une fillette traînant une voiturette. Une grande et grosse blonde est venu embrasser Georges disant: «Je te revois ce soir, n'oublie pas!»

*

J'ai repris le feutre orange.

Cette couleur me réchauffe.

J'écris dans une jolie chambre d'hôtel, l'argent de Georges, «La Malmaison». Hôtel bien propret, crépi blanc, avenue Victor-Hugo. Avant d'arriver, Georges a fait un autre arrêt, à Cros-de-Cagnes. J'ai vue, sur une plage, des jeunes femmes, poitrines nues, près d'un café-terrasse. Elles calfataient des embarcations avec du chanvre goudronné, je ne sais trop. Le soleil papillotait la baie. Pensais rêver encore. Faisait si doux. Des airs d'opéra parvenaient du café. Paradis terrestre, nus féminins. Éden? On rit, on chante. Restaurant, fruits de mer surgelés livrés. Enfants blonds, bronzés, rieurs. Ballons jaunes. Air de *La Traviata*. J'ai subitement repensé au gros Doublevay, qui aimait bien s'égosiller. Une splendide Noire, Ève-négresse du Jardin de nos premiers parents, est venue embrasser Georges longuement. A-t-il une amie dans chaque village? Ai pensé à Marinella, alias tant de choses, la belle négresse, chez chef Da Blasio. Ça revenait sans cesse, moi qui tire à bout portant sur Doublevay, malgré la beauté de ce pays. Malgré ma libération. Nice! Vite l'avion! À Paris, bouche cousue. Dirai rien à l'envoyé de Jean-Paul 3, j'en suis sûr, il y aura à l'aéroport, un dépanneur de petit garçon mal pris.

Plus tôt, à l'aéroport de Nice, Georges et moi avions appris que le prochain avion pour Paris ne partait pas avant six heures demain matin. Il était huit heures du soir. Georges m'a dit: «Pas grave. J'ai une copine qui bosse dans un hôtel sympa. C'est pas loin. Je t'emmène.» J'ai juste dit: «Merci.» Le gros camion a roulé sur la Promenade des Anglais, puis sur Gambetta, puis rue Gounod, hôtel Malmaison. Copine de Georges, rougette à lunettes, gentille. J'ai entendu mon routier lui marmonner: «C'est un petit fils de consul. Brillant, poli. Il a travaillé pour Tit-Jean-la-charité, du côté de Saint-Rémy. Je te le confie.» Rougette se nomme Pauline. A dit: «Vous partez par le premier avion pour Paris, mais vous allez avoir toute la nuit pour récupérer.» Jolie chambre, télécouleurs. Georges voulait payer d'avance. Pauline a protesté. Il y tenait. Il a dit: «Je peux disparaître soudainement!» Livreur, une façade, un masque? Lui aussi? Ai fait couler l'eau chaude plein la baignoire. M'y suis installé. La télé, ils ont parlé d'un réseau de l'ÉTA, démantelé à Carcassonne. J'écoutais plus. Ai sorti mon livre à colorier numéro 2. J'y ai inséré les pages dactylographiées au Tournesol. J'ai repris le bon vieux feutre. Comme au début, le feutre orange.

*

Pour changer, je viens de passer au violet. L'orangé salissait trop. Ai hâte de m'envoler pour Paris. Irai à la Maison du Québec. Grand-papa m'avait parlé d'une nièce, Aline, devenue une sorte d'attachée culturelle, rue du Bac. Ma faculté de retenir tous les mots rares, tous les noms géographiques. Rue du Bac! Mon premier havre de paix. Vrai premier moment où je pourrai respirer. Ici, je me retiens. Dans mon bain, me retenais de penser. De me réjouir surtout. Je restais méfiant. Pauline-à-lunettes de-la-réception a pris conscience d'un garçon mutique. Elle est venue d'abord me porter des savonnettes, puis des journaux illustrés, ensuite, des petits biscuits, «façon Nice», m'a-t-elle spécifié. Enfin des jeux de patience chinois. À chaque quart d'heure, la femme tentait de casser la glace. Je restais de glace. Par ses questions sur Jean-Paul de Saint-Rémy, j'en suis arrivé à me demander si la Pauline n'était pas un rouage clandestin quelconque, si elle ne servait pas à la promotion de cette soupe-aux-lettres des révoltés de la terre. J'ai mangé, plus tard, une petite sole, «façon Nice», dans la salle à manger de l'hôtel. Avec un grand bol de longues asperges pâles. Enfin, la faim, un peu! Pauline à ma table: «Fameuses asperges ''façon Poularde'', mon petit consul.» Plus tard, quittant la table, j'ai compris que cette rougette, à peau blême, offrait aussi le gîte pour son blond routier. Georges, s'apercevant que je l'avais vu qui tentait de se faufiler vers les cuisines, a bafouillé des: «Je devrais vous laisser de l'argent; taxi demain matin?», «Pauline fera sonner le téléphone» et plusieurs: «Dormez bien», «Reposez-vous bien», «Bon séjour à Paris». Je lui ai crié presque: «Tout ce que je veux, c'est la paix!»

Je suis allé me coucher. J'ai écrit. Au feutre brun. C'est plus clair, plus net. Pas de sentiment avec le brun. Maman, ce soir, je me sens fragile. Au bord des larmes. J'aurais voulu que cette histoire ne survienne jamais dans ma vie. Je le répète: je ne serai plus jamais le même. Je pense souvent aux tués de ces jours récents, je ne crois pas à la résurrection de Jeff selon Cécilia. Je repense toujours au bonhomme rond qui vomit ses pastilles de menthe blanche quand je lui tire dessus. Une hantise. Me raisonner, m'excuser: «Je devais survivre!» Rien à faire: une grosse boule de billard jaune s'ouvre en deux et un regard me déchire puis il en sort des papermannes rougies. Horreur! Image lancinante, boucle d'un film qui repasse sans cesse. J'ai fini par m'endormir. Sommeil toujours léger. Un bruit dehors! Comme un pneu qui éclate! Réveil en sursaut. Je suis allé sur ma petite terrasse donnant rue Gounod. Rien. Un vieux chien frisé noir rentre, la queue basse, dans un porche de boutique. Maman, tout à fait Yogi, le chien du Grec au coin de la rue. Dans l'embrasure d'une porte de pharmacie, silhouette, lunettes noires d'aveugle, foulard de soie blanche, imperméable noir, parapluie refermé sur l'épaule! L'homme, la tête levée, semble humer l'air du soir. On dirait papa! Maman, tu dirais: «Ton père n'était pas aveugle au moment de la disparition dans son lac floridien.» C'est vrai! Mais depuis? J'ai mis du temps à me secouer. L'homme en noir avait disparu vers le Sofitel voisin. Je me suis rendormi en pleurnichant. Comme l'enfant que j'étais jadis.

*

Laurent, un jour, lisant mes cahiers de mots graves, si tu te demandes «pourquoi est-ce arrivé à mon grand frère», sache ceci: dans la vie, si tu poses le pied sur une première marche... tu donnes un coup de pied à un cabot menaçant par exemple, eh bien! tu peux enclencher une suite d'actions, ou une glissade, tu ne peux plus arrêter le cours des choses. L'impression que j'ai eue en arrivant ce matin à l'aéroport d'Orly à Paris. Avant, tout allait bien: Pauline de la Malmaison m'avait fait préparer un petit déjeuner. Une voiture-taxi s'est amenée avenue Victor-Hugo. À l'aéroport de Nice, tout se déroulait parfaitement. Jean-Paul 3 avait bien réservé un billet en mon nom. Paris? Au bout d'une heure et demie environ, j'y étais. Chère mère, la tête que j'ai dû faire, en voyant, brandissant une pancarte à mon nom, un revenant! Oui, un revenant!

29

Au moment où je note tout ceci, j'éprouve une sensation affreuse. On m'a trompé. Tout ce que j'ai vécu est peut-être une fiction? Des chefs mystérieux organisent-ils une sorte de théâtre? Du cinéma? Je n'ai peut-être pas tué le gros Doublevay Wagner à Londres. Le revolver était-il faux? Les balles, de fausses balles? Mira a-t-elle vraiment mitraillé M. Herr sous Notre-Dame? Zaide Blass a-t-il noyé réellement Jeff sur un quai du lac Léman? Comment en être sûr à présent? Comment être certain qu'à Rome, Zaide a été vraiment poignardé. Et la belle Éthiopienne de New York, Marinella, vraiment défunte elle aussi? Je doute de tout. Voici ce qui m'arrive. Arrivant à Paris, oui, je vois un fantôme qui me sourit. Herr lui-même! Vivant. Je dis ma surprise, il répond: «Ils ignoraient que je portais une veste antiballes. J'ai fait le mort.» Pauvre Herr, pauvre Roger Robert. On lui a amputé un bras. «Oui! J'ai perdu mon droit. C'est pas grave, je suis gaucher.» Il m'a entraîné hors de l'aéroport. On a pris un taxi. M'a parlé comme si j'étais un des leurs désormais: «Tu verras, mon petit David, ici, ça ne va plus traîner. Nous avons une vraie direction. Tout s'achève!»

Je lui parle de Léo Garrigue, de Cécilia. Enfin Jean-Paul 3. quand Herr me dit: «Un grand, ce Paznanska! Nous nous retrouverons tous bientôt. Du côté de Vélar.» Encore ce mot, Vélar! Je ne voulais pas en savoir plus long. Je voulais rentrer chez moi. Ai dit à Herr: «Maintenant tout le monde doit savoir qui je suis.» M'a interrompu aussitôt: «Non, pas tout le monde. Le jeu doit continuer.» En effet, le cauchemar semblait tourner en un jeu maléfique. J'étais assommé. Le plus étonnant de ce qui va se passer à Paris s'en vient, chère maman. J'ai revu papa. Ton mari!

Comment te raconter? D'abord grande surprise Herr m'a dit en payant le taxi: «Quel beau premier jour de juin!» J'avais perdu toute notion du temps. C'était le premier de juin! Depuis le treize de mai, je n'avais vécu que de mensonges, de cachettes, d'horribles visions. Presque tout un mois? Bois de Vincennes à l'est de Paris. Nous marchions dans les allées d'un vaste jardin zoologique. Il n'y avait personne, il était si tôt. Herr a dit: «As-tu une idée? Ce qui a pu arriver à ton papa? Cette mort par noyade ? Le corps jamais retrouvé?» Ai rien dit. Je songeais aux sosies flous aperçus à Rome et à Nice. Si souvent souhaité revoir mon père, s'amenant vers moi bras ouverts, déclarant: «M'en suis sorti. Je n'étais pas vraiment noyé. J'ai fini par retrouver mon chemin.» Je me disais, chaque fois, un songe creux! Maman, il était là! Papa était assis à une table d'une terrasse déserte du zoo de Vincennes. À ses côtés, il y avait Zaide et mon tué, oui le gros Doublevay, alias Wagner! Imagine ma surprise. J'ai voulu courir vers papa. Herr m'a retenu: «C'est bien ton papa que tu vois là-bas avec nos bons amis?» Papa terriblement vieilli. Il portait une casquette de pilote, un foulard de soie blanc. Je trépignais d'impatience. Herr m'a montré un pistolet: «Bouge pas, dis rien!» Me suis dit: «Ce n'est pas mon père. On s'amuse de moi avec un vague sosie.» Herr m'entraînait loin de la terrasse. J'ai dit: «Laissez-moi l'approcher, monsieur.» Herr frottait son moignon, a grimacé: «Pas question! Ton père ne t'a pas vu. Il est aveugle!» Papa aveugle? «Que lui est-il arrivé?» Pas de réponse. «Pourquoi Zaide et Wagner portent des frocs blancs?» Pas de réponse encore. Je tremblais. Même les cris des bêtes dans ce zoo me paraissaient faux. La réalité me semblait artificielle. Je me regardais les mains, est-ce que je rêvais? Dès mon kidnapping, on m'avait fait boire une drogue infâme? Est-ce que je vivais hors du monde? Suis-je vraiment sorti du coffre d'auto, à Burlington? Une fois mort, notre esprit fait des rêves, de longs cauchemars? Qu'était cette liqueur aux cerises offerte par Herr... Loin, je voyais ce sosie de papa s'en allant en clopinant, sa canne blanche. Doublevay le soutenait, vêtu en vétérinaire du zoo. À sa droite, le devançant, Zaide, la main dans un gousset de son sarrau, comme prêt en cas d'attaque, guettant de tous ses yeux, marchant comme sur des œufs, trousse noire de médecin à la main.

Je cherchais des yeux un agent, un policier, un vrai gardien. C'était désert à cette heure matinale. J'ai dit: «Zaide n'a pas été tué? Pourtant, je n'ai pas rêvé?» Herr m'a dit: *«Faut pas croire toujours ce qu'on voit.»* Les paroles de Cécilia! Il m'a conduit près des singes: «Tu vas tout comprendre si tu vas à Vélar. Il fallait faire passer Zaide pour mort. Il fallait que certains salauds imaginent mon décès à Notre-Dame. Vélar est un plan très délicat et il y a bien pire que le sida. Je ne suis pas autorisé à tout te révéler. Tu as été brave. Ne commets pas de bêtises, tu seras épargné. Tu seras du côté des justes.» «Les justes? Quels justes?» Pas de réponse encore. Il ne faisait que regarder l'heure. Deux laborantines, uniformes immaculés, chargées de boîtes métalliques allaient vite vers Zaide et Wagner. L'aveugle, sosie de papa? Disparu! Herr a fait un geste, le quatuor en blanc a filé derrière les cages à singes! Herr m'a pris par la main: «C'est terminé, le père Noé sera fier de nous?» Ai gueulé: «J'ai droit de savoir! Qu'est-ce qu'ils font tous? Où est mon père? J'ai vu mourir Doublevay? Que fait-il dans ce zoo? *«L'homme ne meurt d'aucune mort,* p'tit gars!», a marmonné Herr. Cette rengaine? Encore? J'ai dit: «Où c'est Vélar? C'est quoi?» «C'est le grand terminus! monsieur Lange», a répondu Roger Robert alias Herr. À bout de tout, je décidais de me laisser conduire. J'ai seulement dit: «Monsieur Herr, Robert, Roger, Roland, Raymond, enfin qui que vous soyez, promettez-moi que je reverrai ma mère avant pas trop longtemps.» Herr s'est permis une petite caresse dans mes cheveux: «Quand l'hiver final s'amènera, être mère, fille, père ou fils, ça n'aura plus aucune importance.» Ce langage occulte m'assommait.

*

J'y suis à Vélar, chère maman. Tu y viendras peut-être. J'écris, à Vélar, les dernières pages de mon deuxième gros cahier à colorier. C'est un vaste domaine très isolé, je ne sais trop où, en Amérique du Nord. Une belle campagne. Nous sommes des clandestins, tous. Probablement en Nouvelle-Angleterre. Je sais seulement qu'on a traversé l'Atlantique. C'est tout. Je sais aussi qu'il se passe sur ce territoire secret, entouré de murs de pierres, des choses inusitées.

Doublevay n'a qu'un œil, il porte un bandeau de pirate, j'ai oublié de te l'écrire, maman. Herr m'a dit: «La poudre du fusil quand tu lui as tiré dessus à Earl's Court.» Le voilà borgne! Résumer les derniers événements? On a quitté rapidement le zoo de Vincennes à Paris. Herr a fait signe au conducteur d'une voiture confortable dont j'ignore la marque. Le conducteur était nul autre que Jean-Paul 3, m'a à peine regardé comme s'il ne me connaissait pas! Quand je lui ai dit dans la limousine: «Merci pour Georges et l'avion de Nice!», Herr a grogné: «Tais-toi. Notre chauffeur ne doit pas être déconcentré. Pas un mot de trop!» Ce chauffeur devenait étranger à tous mes récents déboires. Je me suis tu. Jean-Paul 3 nous a conduits au nord de Paris, vaste aéroport qui se nomme Charles-de-Gaulle. Aucun policier à Orly hier, mais ce midi à Roissy c'était plein de gardiens, hommes et femmes. J'ai songé à alerter un des gendarmes accoudés à un bar, mais j'ai pensé que pour rester en vie, je ferais mieux de me laisser bringuebaler une fois encore. Une dernière? Je me disais: on s'en retourne en Amérique; ce sera plus facile d'appeler «au secours». Je regardais partout, espérant revoir ce drôle d'aveugle à la casquette de commodore, au foulard de soie, ce sosie de mon père disparu il y a plus de deux ans.

Oui, on retournait en Amérique! La salle d'attente de Roissy. Tous embarqués pour New York. J'ai revu des vivants et des morts! Je devais rester près de Herr qui faisait mine de ne pas connaître le groupe rassemblé dans un recoin du lobby. Il y avait Doublevay, bandeau sur l'œil, Zaide, sa lourde tignasse orangée, Jean-Paul 3, alias le Romain. Et qui? Rieuse et couverte de bijoux: Dame Cécilia! Décorée d'innombrables bijoux! Et Jeff, le bossu noyé, manteau léger sur les épaules qui discutait allégrement avec Dickerey, autre revenant! Je songeais à noble-Fasano, à Mira-Miranda à gros nichons qui avaient mitraillé Herr sous Notre-Dame. Je lui ai tiré la manche de son bras valide à Herr: «Tout le monde n'est pas ressuscité, Léo?, Marinella?, Armand?» M'a grogné: «Tu devrais bien savoir à ton âge qu'il y a les bons et les méchants. Qu'il y a le mal. Qu'il y a les justes et les autres. On ne t'a pas appris ça à l'école chez vous?» Ainsi, certains morts étaient vraiment morts? Une voix susurrante a commandé doucement de monter à bord.

J'ai entendu clairement: «Le vol pour New York». New York de nouveau? Je ne désirais pas retourner à l'hôtel Milford et tout revivre. Retourner à la case «départ». Non, arrivés à l'aéroport John F. Kennedy, ce fut immédiatement un transfert. Un petit «jet» privé. Jean-Paul 3 se transforma en pilote de l'appareil! Un étrange silence régnait parmi mes revenants. On a fini par se poser. Dans un cabanon, l'abri de ce mini-aéroport, j'ai lu en lettres dorées: «Vélar». On y était! C'était donc le «terminus» selon Herr RR. Du cabanon, on nous a tous conduits, en bus, vers un antique bâtiment couvert de vignes grimpantes. Herr m'a montré ma chambre à l'étage de ce vieux manoir dans un parc très boisé. Une vieille édentée est venue me border: «Vous allez dormir un peu. Tout ce voyage a dû vous fatiguer pas mal. Demain, nous vous ferons visiter ce portique de l'éden.» Un éden maintenant? Maman, l'impression d'être aux mains de gens d'un caractère plutôt mystique. Je reverrai certains de mes kidnappeurs vêtus en moines! J'ai écrit un peu dans ma chambre au cas où je ne sortirais plus d'ici, au cas où... besoin de me faire disparaître. Je me suis endormi malgré mes horribles prémonitions. Pas revu papa en aveugle! Dehors, comme au zoo de Vincennes, des hommes vêtus de blanc. Des jeunes, des vieux se promenaient dans les jardins fleuris entourant le vieil édifice. Une clinique? Étais-je devenu fou? Interné pour démence précoce? On allait m'enfermer ici, avec ces autres fous, pour le reste de ma vie? Pensées noires au moment de sombrer dans le sommeil. Que m'avait-on servi dans le petit jet plus tôt? On se livrait peut-être ici à des expériences secrètes et je pourrais me faire tripoter la cervelle. Ces médecins ou chimistes étaient peut-être à la solde de la CIA pour des tests périlleux du genre qu'on a pratiqué, à la fin des années soixante, sur tante Janine à l'hôpital Royal Victoria de Montréal? J'ai réussi à m'endormir malgré cette idée: j'allais devenir robotisé, programmé, par de sinistres savants stipendiés par le ministère de la Défense des États-Unis. Comme ma tante Janine, maman?

30

Quand je suis sorti de mon sommeil réparateur, il faisait encore nuit. Placard dans une sorte de studio-cuisinette attenant à ma chambrette. Ai vu du linge pour enfant. On avait prévu mon installation? Ai endossé un habit de velours côtelé, vert olive mûre. Suis sorti de cette chambre tout doucement, pas verrouillé ma porte, donc relativement libre? Vélar? Le nom d'un village, d'une campagne entière, ou seulement du site?

Prudence. Ai traversé un couloir éclairé d'antiques veilleuses fixées aux murs. Au bout, ai pris l'escalier aux somptueuses rampes de cuivre. En bas, un alignement de salons. Dans l'un d'eux, trois jeunes, sarraus blancs eux aussi, lisaient sous des lampes à abat-jour de verre coloré. Dans un autre salon, une femme, extrêmement ridée, replaçait sur des étagères, consultant un cardex roulant, des documents reliés. Enfin des salons vides, sans éclairage, puis un réfectoire où un énorme Asiatique jouait du violoncelle en sourdine. Au bout du couloir, vaste bureau-laboratoire, deux tremblotants vieillards jouaient aux échecs. Suis retourné vers les portes vitrées au centre du couloir. Personne ne semblait faire attention à ma présence et j'ai supposé qu'ils savaient tous qui j'étais. Qui? Le fils du consul Livemann ou David Lange de la rue Hutchison, gamin trimbalé, aîné de quatre garçons, orphelins de père. J'ai poussé une porte.

Dehors, nuit de juin magnifique, ciel tout rempli d'étoiles. De grands bassins, balustrades de marbre, statues antiques éclairées de légers lampadaires sous-marins. Loin, la lisière du boisé, j'ai aperçu des gardiens, armés de mitraillettes, les uns figés, d'autres faisant des rondes de guet. Me demandais où était situé au juste ce splendide parc. À l'arrière du manoir, ai fini par aboutir à un groupe d'édifices, sortes de hangars modernes d'aspect; du côté des serres? Étais-je vraiment en Nouvelle-Angleterre? Nous avions volé un peu plus d'une heure depuis l'aéroport de New York. Était-ce le New-Hampshire, peut-être le Massachusetts ou bien le Maine? Avoir vu la mer pas bien loin quand l'avion se mit à descendre. Des criquets stridulaient en un chorus sinistre et des hululements ponctuaient le coassement des crapauds. J'ai marché par-delà les serres et j'ai décidé de m'approcher de ces bâtisses d'aluminium brillant. Personne. Le silence du ciel pesait sur le chant triste des insectes de la nuit. Un avion, étoiles clignotantes, passa dans le ciel. Tantôt, j'avais vu des chauves-souris voler sur les toits des serres remplies de plantes tropicales. Cet éden, ce paradis terrestre de Herr, était-il une planque de mercenaires ou bien un refuge pour retraités en actions terroristes commandées par les polices parallèles des puissances de l'Occident. Je n'étais pas «un génie en herbe» comme mon école le répétait, je ne comprenais pas ces lieux.

Une silhouette apparut dans une fenêtre d'un sous-sol de l'un des édifices à toit d'aluminium. Décidais d'y foncer. Fallait que je sache. La porte de cet atelier ou manufacture, que sais-je?, n'était pas verrouillée. J'y entrai résolument. «Êtes-vous des immortels ou quoi?» Voilà ce que j'ai dit à dame Cécilia en l'apercevant, pas rôtie du tout, dans l'entrée principale. J'étais énervé, mélangé. En Provence, on m'avait dit qu'elle cuisait. «On est pas du tout vaccinés, personne d'entre nous, contre la mort. Hélas!» Dame Cécilia était méconnaissable dans son froc de coton blanc, luisant comme empesé. Elle avait autour du cou un instrument semblable au stétoscope des médecins. Sur son bonnet blanc, un cimier curieux, garni d'un objet métallique. On aurait dit une couronne précieuse. Il s'agissait, à mieux y regarder, d'une sorte de machine sans doute électronique. «Voyez-vous, mon petit David, ici, c'est le laboratoire des laboratoires. Terminée, la congélation par cryogénie. On va vers mieux, la cariotypie, ou si vous voulez, la cytologie. Vous avez bien vu au zoo de Vincennes, non?»

Cécilia jouait la guide, m'entraîna, souriante, vers un premier soubassement vaste ascenseur dont un mur était garni de manettes. Je me serais cru dans un film d'anticipation, monde futur. La courte dame, énorme fessier balançant sur ses jambes, m'invitait dans un tunnel. De cinq minutes de marche, elle sortit une clef, déverrouilla une trappe peinte de rayures jaunes et blanches. «En bas, c'est le cœur de Vélar, sa raison d'être, cher petit ami!» Cellier mystérieux, ne voyais rien d'autre que des tiroirs, par centaines, couvrant les quatre murs. «Je deviens une cytologue, David!» Je restais muet. Prudent. Serpent et renard à la fois. J'écoutais la suite: «La cytologie, tu dois le savoir, petit génie, c'est l'étude des substances vivantes. Sommes rendus plus loin que ce bon Rostand du côté de la cytolyse. Ici, à Vélar, ces derniers temps, sont venus des prix Nobel de biophysique, ont trimé dur. Ça nous a coûté très cher. Il a fallu d'abord beaucoup de raids de banques, de téméraires hold-up, pour payer notre propre salut. C'est le passé.» M'a fait asseoir dans un fauteuil rond, m'a regardé les mains, examen minutieux. Elle était devenue grave. J'ai dit: «M. Herr et Jean-Paul refusent de répondre, est-ce que vous pouvez me dire si mon père est vivant? Aveugle et vivant?» S'est sortie de sa méditation sur mes mains, tremblement énergique, retiré son bonnet à cimier, m'a dit, allant vers un des murs à casiers: «Oubliez votre passé, terminée, cette idée de papa, maman, la famille. Avec ce fatal hiver qui vient.» Elle touchait des casiers comme s'il s'agissait de vénérables reliques. Ai dit: «Pourquoi toutes ces boîtes postales?» Est revenue vers moi: «Nous y serons tous, les justes. La cytologie actuelle le permet. Il y aura des légions de *signatures génétiques* entreposées dans ces murs. Déjà nous avons obtenu des milliers d'empreintes cytoplastiques.» Cécilia alla vers un évier ouvrir un robinet et remplit deux gobelets d'un liquide jaune. Elle m'ordonnait en souriant: «Buvez, ça va vous fortifier.» Cela goûtait le citron avec un arrière-goût de cannelle. J'aurais préféré m'abstenir mais une force de conviction se dégageait de cette grosse boule blanche nommée Cécilia. Besoin de la questionner davantage, je tenais à savoir: «Madame Cécilia, pourquoi toute cette science?» Elle m'a dit: «Je suis autorisée à te faire certaines confidences. Quand l'horrible hiver menacera partout, nous serons déjà partis. ''Les justes'' embarqués pour un monde meilleur. Venez, cher David, je vais vous montrer.» On a marché dans un autre couloir, on a pris un ascenseur de nouveau. Sommes retrouvés sur le toit de l'édifice. «Voyez-vous, là-bas, comme des silos à grains?» Je les voyais bien. Un, gros et très haut, deux petits et plus loin encore deux autres, octogonaux plus courts, comme enduits de goudron. Ce curieux complexe tubulaire, m'expliqua la boulotte immaculée, était des poupées gigognes, des fusées. Une, la plus haute, serait capitale. «Quand ce sera l'heure de s'embarquer, les vaillants de la terre disait l'Écriture.» Elle me prit par les épaules: «On vous a enseigné ça? Il y aura sept fois sept générations qui passeront avant que le terre ne redevienne fertile.» Ai dit: «À la télé, des savants parlaient de l'hiver nucléaire et de la couche d'ozone transpercée, oui, j'ai vu ça déjà.» Cécilia satisfaite de ma réponse: «Bientôt, on va vous faire une cytoplasmie, petit chanceux. L'éternité. Vous ne mourrez pas!» On a marché. Puis on a grimpé et j'ai pu voir, dans le gros silo, une sorte de vaisseau spatial gigantesque. «Tout cela est secret, David, mais vous êtes des nôtres désormais. Vous appartenez à Vélar. Votre brillante intelligence vous a sauvé.»

Me ramenant vers le bâtiment central couvert de lierre, Cécilia avait pris le pas d'une insouciante, parlait sans cesse, racontant les débuts du projet. Les prix Nobel approchés pour collaborer. Les sarcasmes du plus grand nombre. Les refus. L'ironie féroce des sceptiques. Les accusations de démence par certains. Longuement elle me vanta l'aide miraculeuse. Une milliardaire «tellement lucide intellectuellement», Josèphe Sheitoyan, réchappée du génocide des Arméniens, réfugiée en Floride. Cécilia, les mains jointes, les yeux au ciel, sourire angélique l'illuminant: «Nous lui devons énormément.» Cécilia me parla ensuite des «Mormons» qui se rendront aux bonnes raisons de la Fondation Vélar afin de collaborer à cette Mission-Sisymbrium. Le nom d'une planète dans la constellation de la Lyre, lieu d'asile, nouvel Éden, terre promise pour ceux qui devaient échapper au cataclysme appréhendé. Devant l'imposant porche du vieil édifice, j'ai dit: «Vous savez bien que personne sur la terre n'osera jamais déclencher un conflit apocalyptique!» Cécilia, sans me répondre, m'entraîna vers une salle de lecture du rez-de-chaussée. L'aube se levait dans le vieux manoir, les fenêtres se coloraient peu à peu d'une lumière jaunâtre impuissante encore à vaincre tout à fait les ténèbres. Cécilia me dit: «Je vais aller chercher notre preux chevalier. Ne bougez pas d'ici.» Les fenêtres sur l'Ouest restaient d'encre. Les autres, en face, se remplissaient peu à peu de lézardes rose pâle. Le jour hésitant à venir. Un jour de plus! Combien de temps allais-je passer ici? On voulait ma signature génétique pour un des casiers? Une cellule de moi en cobaye-cosmonaute, m'avait expliqué Cécilia, pour cette planète de sauvegarde? Je suis allé ouvrir un dictionnaire au mot «vélar» et j'y ai lu: «Autre nom pour sisymbre. Plante de la famille des crucifères. Se dit aussi l'herbe aux chantres.» Autre nom pour sisymbre? J'ai entendu des pas. S'approchait ce «preux chevalier». Lui? Le grand blond vêtu autrement. Jean-Paul 3 portait un uniforme vert quasi phosphorescent; de hautes bottes d'un cuir luisant, jaune acide, lui donnaient une allure de pionnier-militaire de zone tropicale. Il me fit son bon sourire: «Je suis content de te revoir, David Lange!» C'était la première fois que quelqu'un m'appelait par mon nom complet. Cela m'a comme soulagé. «As-tu faim, mon garçon? Ils font d'excellents muffins.» Avant que je ne puisse l'ouvrir, le Polonais blond m'entraînait vers le réfectoire aperçu au milieu de la nuit. Ai dit: «Je ne vous servirai à rien, qu'on me laisse rentrer chez ma mère.» M'a souri, s'est installé à une table ronde du côté est. Je pouvais voir au-delà du val, une sorte de voie élevée, était-ce une autoroute? Des petites lueurs y circulaient à grande vitesse dans le matin. Je me disais, si j'arrive à sortir de ce domaine, je cours dans cette direction. Là-bas c'est sûrement le monde ordinaire. Je hélerai une voiture, on me conduira dans une ville proche de ce bizarre campement clandestin. Jean-Paul mangeait ses muffins et buvait du café très noir: «David, je dois me battre. Il y a une faction militante qui souhaite que tout saute au plus tôt. Des impatients qui veulent précipiter la fin de notre monde. Qui a la bombe dans ses murs à part les grandes puissances officielles? David, on ne sait pas. Probablement Israël? L'Afrique du Sud? Tripoli? Peut-être? Ou la Syrie? Ça se pourrait. Ou l'Irak? Qui sait? Nos investigateurs cherchent et ils font des rapports contradictoires.» La bouche pleine, j'ai dit: «Le jour où ça saute, vous dégagez votre gros silo et vous déguerpissez tous?» Il a bu de son café: «Non. Nous ne partons pas vraiment. Aucune navette spatiale pourrait amener tous les justes de la planète.» Il a encore bu de son café: «Il existe une empreinte unique pour chacun de nous, cela se nomme son cariotype. Même que certaines polices d'avant-garde utilisent, au lieu d'empreintes digitales, la cariotypie. Ces modernes enquêteurs font prélever du sang, du sperme, de la salive ou un tissu cellulaire. On a reconstitué complètement des animaux à partir d'une microscopique cellule vivante.» J'ai dit: «C'est du cloning.» Le Polonais semblait satisfait de ma remarque. «Tu as compris. Nous serons ainsi des millions et des millions sur la navette.» Il souriait avalant un quatrième muffin. «Cher David, ça va être la deuxième arche de Noé! Ne voyageront dans le cosmos que nos signatures.» J'ai gémi: «Prélevez la mienne et qu'on me retourne à ma mère aussitôt après.» M'a pris par le cou, paternel: «On a besoin de jeunes questionneurs. Comme toi. On va t'expliquer ton rôle. Il y a beaucoup d'études qui restent. Des solutions techniques à trouver.»

J'ai avalé de travers. Oh maman! Pourquoi moi? Dans quelle affaire m'étais-je embarqué malgré moi? J'espérais une fois de plus que je faisais un rêve. Le jour était levé enfin. Une musique orientale se fit entendre. Harpe, clochettes légères. Parfois, des messages sibyllins étaient dictés par haut-parleurs. J'ai remarqué la présence, ultradiscrète, de minicaméras aux quatre coins de ce vaste réfectoire. Je me disais qu'il allait être difficile de m'échapper de Vélar.

Après le petit-déjeuner, le blond Polonais m'invitait à l'accompagner pour une marche de santé dans les jardins. Il a répété que cette propriété avait appartenu à la multimillionnaire veuve, Josèphe Sheitoyan, qu'elle avait été d'abord un collège privé, très huppé, dans les années vingt et trente, qu'elle avait servi, durant la guerre de 39-45, de prison pour des officiers allemands voulant collaborer avec les alliés. Après la guerre, Vélar avait été encore une prison dorée pour des prêtres déviants, marginaux ou aliénés. En 1970, rachetée à prix fort, le *Defense Department* en fit un lieu de retraite afin d'y caser des officiers mis «au placard». Enfin, janvier 1985, avec l'argent de l'Arménienne, la *Fondation Vélar* s'édifiait sous le couvert d'une église nouvelle communaliste scientifiste et inoffensive.

Cécilia était venue nous retrouver. De temps à autre, arrêts et saluts, nous croisions un des habitants de Vélar; brèves présentations: «Professeur Fulford, voici David Lange.» Ou: «David, voici le célèbre physicien, Allan Bloor.» Ou encore: «David Lange, le biologiste Gilles Proudhon.» Parfois ces savants, blouse blanche ouverte, étaient de vieilles femmes, mais j'en ai croisé aussi de plus jeunes, la trentaine, des yeux clairs, regard ravi, humour enthousiaste. Tous ces chercheurs me semblaient comme flottant sur un nuage d'optimisme. L'idée qu'ils se droguaient m'a traversé. La naine plantureuse, Cécilia, s'est mise à parler... en grec, je crois bien. Des secrets trop graves pour David-le-kidnappé? Elle s'en est allée et j'ai dit: «Monsieur Paznanska, avez-vous réellement tué Léo, le soir du Don Quichotte au vieux Moulin?» Il m'a dit: «Obligé. Léo Garrigue avait triché en cherchant à enflammer une zone interdite en Albanie et plus tard au Salvador; il faisait partie des impatients forcenés. Il fallait tuer ce désobéissant car nous ne sommes pas encore tout à fait prêts.» A pris un air las. Ai supposé qu'il fallait aussi tuer Armand. Aussi la belle Éthiopienne? Et qui encore? J'ai vu, hasard fou, surgir d'un bois la belle Marinella! Excellente forme, courant, en survêtement, vers les pelouses des jardins de la propriété. «Elle n'est donc pas morte à Rome?», j'ai dit. Jean-Paul cria: «Nelly?» Ah, Nelly, son autre nom? Marinella cessa de courir et bifurqua vers moi: «Bonjour, petit bonhomme! Bienvenue à Vélar!» Reprenant son souffle, l'Éthiopienne de chez Da Blasio confia sans réticence: «J'ai fait quelques erreurs. Surtout du côté des Karens de Birmanie, ça n'était pas assez mûr, je suis allée trop vite. Je me suis repentie, j'ai corrigé mon tir.»

Me suis bouché les oreilles et me suis éloigné. Je ne voulais plus écouter. Elle et Jean-Paul 3 ont ri. À l'école, j'enrage que l'on s'adresse à nous, enfants, comme si nous étions des êtres bornés. Ici, c'était l'inverse, on me révélait des choses que je ne comprenais guère, un autre excès. Je comprenais mal Marinella-Nelly qui discourait à propos du Pat Lao, du Tibet, puis de l'Albanie. Elle me tenait un bras, secouait, m'assommant avec la Mauritanie, la Tanzanie, le Burundi puis ce fut l'Angola et les Cubains, le Mozambique en génocide. Soudain elle me dit: «Terrible révolté, votre papa.» J'étais personnellement plongé dans sa marmite: «Hélas, les révoltés de la deuxième génération, cria-t-elle, sont incontrôlables en Israël!» Elle ne m'écoutait pas quand j'ai répété: «Quoi, mon papa révolté, quoi?» N'écoutait qu'elle-même, comme tant de grandes personnes!

Cécilia, revenue parmi nous, se mit à tonner contre un certain Ariel Sharon: «C'est un fou! Un illuminé!» Je ne comprenais plus rien. La grosse Cécilia avait remis son linge flamboyant et ses bijoux, n'était plus «de garde», ai-je supposé. La voilà, devenue rouge comme tomate et vitupérant de plus belle: «Ce Sharon, avec l'argent des fanatiques du Ateret Cohanin, veut acheter tout le vieux-Jérusalem! Ce sera pire qu'à Belfast.» Jean-Paul semble au courant:

«Sharon songe à reconstruire le Deuxième Temple. Avec ceux d'Ateret Cohanin, il attendra le Messie. Fanatisme!» J'ai osé: «Et vous? Vous attendez quoi? Que la planète soit au bord du gouffre, alors, vous allez vous sauver en navette comme les rats d'un navire en perdition?» Cécilia cessa de marcher. Puis Jean-Paul. Marinella finit par dire: «David, tu dois comprendre qu'il y a le mal et le bien, les mauvais et les bons.» Cette ritournelle! Cécilia m'excusa: «Pas de sa faute à ce gamin, plus personne ne croit ni n'enseigne ces notions de base en ces temps de déclin.» Me semblait entendre l'oncle Martial, ses sermons sur l'horrible décadence contemporaine. Soudain, Marinella s'élança de nouveau dans sa course de santé. J'ai dit: «Elle veut avoir une signature génétique parfaite.» Cécilia a ri. À s'en étouffer. Puis elle est rentrée au manoir de son pas de canard boiteux. Ou d'oie surgavée! Jean-Paul me tutoie: «Viens, je dois te montrer le plan de notre mission très particulière!»

31

J'écris bleu. J'ai trois sortes de bleu. J'ai pris le plus saturé. Maman, c'était terrifiant. Jean-Paul m'a amené dans son bureau à l'étage de ce vieux collège d'autrefois. Bureau d'un désordre époustouflant, murs couverts de notes griffonnées. Portraits d'anciens et modernes découvreurs, épinglés jusqu'au plafond, masques primitifs de tous les continents. Un musée. M'a fait asseoir, m'a montré son album à lui, familial, ne disant que «ma mère», «mon père», «mes deux sœurs», «mon frère aîné». Il a fini par dire: «Tous disparus en Pologne. L'horreur nazie. Tous morts. David, longtemps, je me suis dit: pourquoi pas moi? J'ai fini par trouver une réponse: «Vélar!»

Ils savaient tout sur moi, chère maman. Absolument tout. Jean-Paul 3 m'a fait voir sur son ordinateur. La Fondation Vélar avait compilé mon dossier: «*Lauréat de Poésie-Enfance, U.N.E.S.C.O., 1984, parmi deux mille jeunes auteurs. Grand gagnant du quiz international ''Jeune savoir'', en 1985. Gagnant du Prix des musiciens de demain, 1986. Gagnant du 1er prix du Concours des jeunes naturalistes, 1987. Lauréat du Prix ''Chimie et technologie'' pour le Canada entier en mars 1988.*» J'en passe. J'ai dit à Jean-Paul 3: «Pourquoi ce kidnapping chez les Livemann et pas chez moi, rue Hutchison?» Il m'a répondu: «Nous savions, à Vélar, mais pas eux, les enragés de la filière RR qui voulaient seulement le petit Livemann. On a laissé faire. Herr est un excité qui veut vite le feu nucléaire partout, mais il change. On lui fait la leçon.»

Ne veut plus rien entendre. Ça recommençait. La résurrection des morts! Il parle et je regarde, à l'horizon, ce long serpent de béton où des véhicules, des punaises vues d'ici, filent à toute vitesse. Je me dis: faut fuir. Cette nuit même. À travers bois, vers cette autoroute isolée à quelques kilomètres, me sauver de cette confrérie de cytoplastistes généticiens. Je le laisse jacasser. Je fixe le ruban de ciment gris dans le paysage au fond des prés en précoces floraisons.

Ma mission? Mon rôle ici? Le blond Polonais n'a pas été clair. Ai compris, plus ou moins, que je serais confronté bientôt avec des chercheurs physiciens. On aurait détecté chez moi, comme chez d'autres jeunes d'ici des possibilités, une intuition précieuse. J'allais collaborer à mettre au point des solutions pour les questions de vitesse antigravitationnelle. Jean-Paul 3 m'expliquait: des savants de Vélar, stimulés par la fraîcheur de nos hypothèses, nos questions de jeunes cerveaux sans aucun préjugé scientifique. En somme la candeur de mes futures interrogations, les miennes comme celles des enfants pensionnaires rassemblés de force ici, servant de pistes neuves audacieuses. Oh, maman! j'aime les sciences mais ils se trompaient sur mes capacités réelles. Je n'ai rien dit. Je fixais l'autoroute lointaine. On attendait beaucoup de ton petit garçon. Jean-Paul se leva en me parlant «d'abolition du temps, de l'anti-vitesse, de trous-espaces-temps», enfin, de me rendre demain matin, édifice K, salle B-8, pour rencontrer ces grands esprits et échanger librement avec eux en vue de cet embarquement génétique. Ce voyage des génomes!

Mon Polonais répétait que Vélar tentait sans cesse d'approcher des sommités; j'entendais parfois un nom qui sonnait un peu familier à mes oreilles: Alexandre Simoniev, de Munich, Hubert Reeves de Paris et Albert Jacquard, des philosophes parmi des scientifiques, le dissident Soljenitsyne. Il a parlé d'un chercheur,

Bloch, disciple du fameux Wilhem Reich, disant: «Il habite pas loin d'ici, à Boston.» J'ai compris que nous étions sur la côte atlantique, le Maine, proche du Nouveau-Brunswick. On aurait fait visiter ce domaine avant qu'elle ne meure, à une certaine Marguerite Yourcenar qui habitait à quelques kilomètres de Vélar, selon lui. Je ne la connaissais pas! Elle avait des vues assez proches de celles de la Mission-Sisymbrium, prétendait-il fièrement. Il me confia qu'une aile de l'édifice abritait des voyants, utiles côté psychokinésie et télépathie!

Je suis sorti de son bureau, il parlait encore, j'ai accéléré le pas, il m'a rejoint, dans le couloir: «Écoutez, petit David.» Il était tantôt à «tu», tantôt à «vous». «Je vous ferai rencontrer des mystiques à un degré fascinant, des esprits religieux, des stigmatisés qui vivent des extases, qui jeûnent depuis des décennies, telle Marthe Robin, qui dialoguent avec les anges du ciel et des enfers.» J'ai eu peur et j'ai crié, courant presque: «Non merci! Pas pour moi!» Maman, ça me rappelait cette demoiselle bizarre à Chertsey qui voyait et entendait la Vierge Marie! Jean-Paul parut très contrarié: «David faut comprendre. Il y a urgence!» Il prit une voix grave: «Savez-vous que je vais me sacrifier?» Il prit un visage lourd: «Je serai la bougie d'allumage, c'est très probable.» Piqué, j'ai stoppé net près d'un escalier: «Quel sacrifice? Il y a vos silos, votre fusée. Vous êtes pas un juste?» Il a pris cet air accablé comme dans la rue de Saint-Rémy quand il m'a parlé du Sud, des quarante mille enfants qui mouraient chaque jour n'atteignant pas même l'âge de cinq ans, pour me dire: «Quand nous serons prêts, que nous aurons la cytoplastie de tous les enfants-de-lumière, je me sacrifierai en retournant à Rome, au Vatican, j'ai été prêtre, je suis docteur en théologie, vous savez.» Je me suis sauvé de lui, je n'en pouvais plus. Dans ma tête, il n'y avait plus que le ruban gris de l'autoroute dans l'horizon voisin.

*

Maman, j'écris bleu clair et je t'affirme que je n'écouterai ni Jean-Paul 3, ni personne. Avant le souper, deux savants sont venus dans ma chambre, l'un pour me lire une théorie hypothétique farfelue, l'autre me quêtant des questions provocatrices pour se stimuler. Devoir être ingénu à tout prix! Saugrenu même. Pouch! Plus tard, deux infirmières voulaient analyser mon sang, mes cheveux, ma salive, mon urine, ma peau. Leur cariotypie, leur cytologie! L'une avait des seringues, l'autre, des batteries mobiles de machines sophistiquées. J'ai refusé net. Une crise terrible. Ont battu en retraite. Ai piqué une colère comme jamais tu m'as vu en faire, chère maman. La nuit est tombée et Zaide et Herr m'ont rejoint à un bar-bibliothèque. Je tentais d'avaler quelque chose. Ils sont venus à ma table. Zaide semblait ivre, il m'a présenté Boris: «Un Russe ami de Karpov et Kasparov, expert aux échecs. Et en biophysique.» Boris affirmait avoir pu prélever une cellule du célèbre Walt Disney trempé dans son bain d'azote.» Ensuite Herr a empoigné son compagnon pour aller l'étendre sur un divan puis il m'a confié que je serai bientôt en mission. La vallée de la Bekaa. Un certain Issam Salem, alias Issamal-Loh, allait me remettre un projet de guerre nucléaire dérobé à l'Irak. Zaide était revenu à ma table et m'affirmait revenir du «passage de Zemraya», qu'il avait conféré avec Yasser Arafat en personne. Mes deux visiteurs affirmaient que des chiites du Caire avaient volé le plan de la Mission-Sisymbrium de Vélar. Leur plagiat se nommait «Noé II». L'expert aux échecs me demanda soudain mon âge, l'âge de mes trois frères, le numéro civique de la rue Hutchison. Il a calculé vitement me disant que le nombre 4903 était relié à mon «karma». Maman, un jargon délirant! À l'entendre, j'étais l'élu, un nouveau-roi-David! Il jubilait. Le blond Polonais était un élu, lui aussi. Boris se mit à tracer des lignes avec des compas. Voilà que courbes, hyperboles concordaient, j'étais marqué! J'avais un chiffre anti-666 biblique. J'étais un 999. Salmigondis ésotérique fou. Je ne pouvais plus digérer le plat de sole frite. Étais écœuré de les entendre supputant les chances de «réussite dans l'éther hypermnésique sur Sisymbre.» Ai changé de table et se ramènent Zaide, Herr et Doublevay salivant de mieux savoir à propos de l'embarquement cariotypique! Le Russe en exil, ivre lui aussi, réclamait que Vélar invite Karpov et Kasparov. Zaide, très excité, faisait des additions et des multiplications avec tous les chiffres qui tombaient sous ses yeux. Boris a soudain crié: «26! C'est l'âge de Jenneifer Green morte d'une grenade au Nicaragua!» Les voilà prenant en compte latitudes, longitudes, parallèles des pays entourant la patrie des sandinistes, la date des élections perdues à la fin de février 1990. Le plus agité des cabalistes, Boris, me parle des mille tablettes cunéiformes en argile, du site mésopotamique de Tell Leilan. Ce numérologue, bavant, cherchait l'âge du roi Shamshi-Adad 1er et la date de naissance d'un autre, Shubat-Enlil. Igor, subitement, m'accroche et me crie: «Vous ne le savez pas, David?» J'ai crié: «Non! Je ne sais rien, je veux rentrer chez moi.» Croyant que je plaisantais, le trio se remit à crayonner sur tous les napperons. Un énorme bouddhiste surgit, accent slave aussi. Boris: «Regardez, Igor! Le nombre de barbouzes tuées lors du raid d'Entebbe est le même que les morts tués lors de la destruction de Loumaine.» Je regarde Zénon-Zaide-Blass: «Loumaine» fut le premier projet Vélar, «un échec total». Le maigre Boris et le gras Igor divisaient ensuite le nombre de kilomètres entre Khost et le Kaboul en Afghãnistãn, 60, avec le chiffre 22 000, les troupes afghanes. Ils multipliaient par 18 000: la soldatesque soviétique jadis installée là. Ensuite, on additionna avec les 10 000 moudjãhidĩns venus, en 1987, du Pakistan... Maman, j'en avais attrapé une migraine. J'ai fui vers un vaste salon à lustres. Roger-Herr-Robert m'avait précédé au fond d'un énorme divan de cuir: «Je vous en prie! Ramenez-moi à la maison. Je serai inutile ici, je suis un jeune ignorant.» S'amenait Doublevay-Wagner. Ivre mort maintenant: «Faux! Votre dossier affirme le contraire.» Puis j'ai vu arriver le gros Igor disant: «Prudence! Ce gamin de Montréal pourrait se suicider comme le planqué d'Amsterdam, ce Samet Aslan qui arma l'assassin du pape!» On m'a entraîné sur un divan: «Tu connais pas ta chance!» Doublevay avec son œil unique qui clignotait a ajouté: «Il vient de nous arriver quelques bons cerveaux parmi les 100 000 expulsés du Meghalaya, au Népal. Sort cruel qui nous avantage!» Wagner souleva son bandeau et frotta son œil invisible, celui que je lui avais pété, hélas! Aussi, avec leur mascarade, les leurres, leurs identités multiples, ils risquaient sans cesse de perdre un membre. Questionné, Zaide m'avait dit: «On pouvait pas tout te dire et on savait pas encore tout. On ignorait cette

Fondation. Maintenant nous comptons sur ton intelligence!» Jeff s'est montré, moins bossu, ma foi! Au cœur du Grand Terminus, station d'embarquement des cellules, Jeff a dit: «Il se peut que tu vois le grand manitou bientôt.» J'ai dit: «Qui c'est?» Il a dit: «Tu l'as vu dans un rôle modeste à Florence.» J'ai pensé au grand seigneur, Fasano; Herr m'explique qu'en réalité il n'y a pas de chef permanent, ici. Qu'il s'agit d'un conseil avec un chef élu à tous les trois mois. Fasano était donc le nouveau Président de Vélar depuis hier seulement. Jeff m'entraîna et se mit en confidences non sollicitées: «J'ai fait ma critique à fond, Fasano m'a pardonné. Inutile de jouer les incendiaires. Je n'arrêtais pas de jeter de l'huile sur tous les feux. D'utiliser des Palestiniens clandestins contre d'autres Palestiniens afin qu'ils s'enragent férocement contre Jérusalem et New York.» Je marchais à ses côtés dans des couloirs lambrissés de bois sombre. «Fasano a précisé sa pensée: *laisser le temps faire l'ouvrage du temps.* Vrai qu'il est stérile et imbécile de vouloir l'accélération de l'histoire; on l'a bien vu à l'automne de 1989. Tout est écrit! Fasano dit vrai. La fin du monde doit survenir naturellement et ça ne tardera plus! Les lois du temps humain se brisent une à une maintenant.» Jeff a fini par se taire et s'en alla jouer au billard. Tout le monde parle beaucoup dans ce collège, pies épuisantes, maman. Réfugié dans la serre, m'est apparue une girafe à lunettes carrées, des microscopes pendus au cou, des seringues dans tous les doigts et elle se mit à jargonner sur l'étamine d'or et sur le pistil éjaculateur. Me suis sauvé. Suis allé marcher dans un boisé. Deux sentinelles m'ont vite cerné très discrètement. Comment faire pour fuir cette nuit? Car c'est bien décidé, je dois m'échapper cette nuit même, apocalypse ou pas apocalypse. Si la fin du monde est proche, maman, je veux la vivre à tes côtés, avec mes frères, dans notre quartier tranquille et que les mânes de l'ésotérisme me piquent de leurs fourches si je mens!

*

Le rouquin, Zénon Blass, m'a montré un cadeau offert via l'ERCA, par un Catalan qui revenait de Batticaloa dans l'Est du

Sri Lanka. Une bague verte, cabochon énorme, trèfle irlandais de jade sculpté. Zaide en avait les larmes aux yeux chaque fois qu'il regardait son talisman. «Mon seul regret, pour le voyage vers Sisymbre, c'est de devoir laisser cette bague avec mes cendres dans le crematorium du 3e sous-sol.» Il y avait donc trois étages de sous-sols creusés. Je n'avais aucun désir de visiter. Je guettais la nuit totale. Je me creusais les méninges (on parlerait ici de synapses de neurones) pour trouver une manière de fuir sans rameuter ces camouflés dans les boisés. Suis rentré et me suis installé dans un solarium de l'ouest; s'est amené un nain, Japonais?, venu faire ses adieux car le Président Fasano venait de faire une entrée bruyante au manoir, entouré de courtisans. L'oriental a déclaré: «Chef, je rentrais de Colombo et j'irai à New Delhi pour briser la fausse paix de Kaffna. Je verrai certains rebelles grâce aux amis de l'Eelam Tamoul.» Fasano s'est penché pour l'embrasser. Jeff était venu dans le hall voir passer le Président tout neuf. J'ai entraîné ce vieil iodé dans un coin: «Jeff, qu'est devenue vraiment Mira qui était avec nous en Suisse?» Il a plissé les yeux, m'a regardé, étonné: «Tu sais pas? Elle est directrice du Grand Conseil ces temps-ci! Elle peut commander à Fasano. Une poigne terrible. Peu de jugement. Garde ça pour toi.» Zaide s'est approché: «Pas d'accord. Je la trouve parfaite Mira, David; ce vieux bossu est jaloux, devient mesquin quand il parle de la divine rouquine. Pour Mira, comme l'empereur moghol, Shãh Jẽhan, je ferais construire un Taj Mahal. Mira mon impératrice Mumtaj Mahal! Elle meurt et j'irai construire ce palais.» Jeff accablé par ce pitre. Engueulade sur les mérites de la rousse. Je ne les entendais plus! L'intuition maintenant qu'il y avait quelqu'un au-dessus de ces esprits fêlés qui les manipulait. Un être plus fort! Peut-être un Juste, un «bon» qui a pu neutraliser ces mercenaires de partout. Je l'espérais et une voix intérieure me répétait: «Tu as trouvé! Il y a quelqu'un. Tu as compris enfin.» Je m'accrochais à cette idée, me disant: si je pouvais le rencontrer. Est-il seul, s'agit-il d'un groupe? Sont-ils deux ou cent? Est-ce un gouvernement? Une agence secrète? Ces délinquants perpétuels s'anéantissaient un par un, acceptant des missions dans les zones de guerre. Un jour l'unijambiste Herr sera cul-de-jatte. Et puis cadavre. Le borgne, Doublevay, aveugle... et puis...

Et papa, lui? Oh, maman! ton détestable et ravageur silence sur notre père. Sur ce qu'il avait été avant ma naissance. Revenu de son exil à Cuba, revenu de son séjour en Algérie, qu'était-il devenu? Qui se cachait derrière ce masque du père dévoué m'apprenant à lire, à écrire de façon précoce? Qui a été papa? Que cachait cet ultime voyage de pêche et cette soi-disant noyade? Où est sa dépouille? Comment aurait-il pu tromper, s'il n'est pas mort, tout le monde? Faire croire à une noyade? Je devenais enragé, énervé. Je voulais savoir la vérité. Était-il cet aveugle du zoo de Vincennes? Qui questionner? Était-ce lui, cette silhouette place du Vatican? Était-ce lui, sous le petit balcon, rue Gounod, à Nice? Ou, au zoo, était-ce lui, l'aveugle, soutenu par Zaide? Ils mentent sans cesse.

Chacun dit sa vérité. Fasano, lui aussi, m'avait fait son cirque en Italie. Dénicher les bureaux de la directrice Mira-Miranda! Jeff a-t-il raison? Comment lui faire confiance? Je l'avais vue et entendue jouir dans les bras de Jeff. Et puis, aussitôt après, avec Zaide. Est-il imaginable qu'ici-même, en secret, papa veillerait sur moi? Non. Il n'aurait pas été capable de ne pas se montrer pour me prendre dans ses bras, au moins un instant. Est-il dans une urne funéraire dans un des sous-sols? Sa signature génétique entreposée dans un des casiers? Ce noyé dont on n'a jamais retrouvé le corps? Maman, l'aimais-tu? Je ne sais plus. Tu étais si joyeuse en ce temps-là et lui si sombre. Le jour et la nuit. Le soleil et les ténèbres. Vous êtes-vous séparés volontairement? Tant de différence entre vous deux. Souvent des gros mots, parfois quelques cris. Des coups, une seule fois. Maman, tu ne souhaitais sans doute pas le retour de cet homme désabusé, tellement misanthrope.

32

La nuit est venue enfin. Je ne trouvais aucun moyen sûr de fuir Vélar. J'ai eu besoin d'aller marcher dans le parc et les alentours. M'a semblé qu'on me laissait la voie libre! Je suis allé vers le plus haut des silos. Le portier m'a ouvert: «Soyez prudent, on a vu un loup rôder, m'sieur Lange.» On me reconnaît donc partout? Les sentinelles auraient-elles reçu l'ordre de m'ouvrir toutes les portes? J'ai dit: «Il n'y a personne à l'intérieur?» Il m'a dit, riant sous cape: «Toujours en observation du ciel, le vieux Galiléo». Derrière la porte qu'il venait de m'ouvrir, très haut escalier en colimaçon; j'y suis monté en automate. À chaque palier, le ciel bleu marine, la lune, les étoiles par de larges baies. Au dernier palier, un télescope! Immense. Un canon à loupes presque deux mètres de diamètre. Au bout d'une banquette pivotante, perché près du dôme, je vis celui qui se faisait appeler Galiléo. Il ne me voyait pas. J'ai crié: «Bonsoir, monsieur!» Pas de réponse. Un grand effet d'écho dans cet observatoire d'une propreté intimidante. Sur une longue table de granit noir, des magazines du monde entier. Deux étaient restés ouverts, je les ai refermés lisant sur l'un «Al-Fajr», sur l'autre, «Al-Chaab». J'ai toujours aimé l'alphabet arabe, je trouve cette écriture aérienne avec ses arabesques. J'ai aperçu aussi, dans un journal de chez moi, *La Presse*, une manchette encerclée à la craie rouge: «*Le Canada a renvoyé en Italie le physicien Piperno, accusé de complicité dans l'assassinat d'Aldo Moro.*» Sur le plancher de ce haut palier, plein de biscuits pour chiens, nourriture pour chats. Passant sous la gigantesque machine-grue à épier le ciel, dans un panier, quatre chatons d'une belle laine angora immaculée, huit petits yeux d'un bleu ravissant. Propriété de Galiléo? J'ai de nouveau appelé: «Ohé! Monsieur l'astronome?» Il a grogné, il a remué, il s'est penché vers moi. Le plus simplement du monde, il m'a dit: «C'est vous, David? Attendez, je descends.» C'était étonnant de voir ce vieillard à barbe frisante actionnant des leviers, atterrissant doucement à mes pieds, sourire au bec, regard de grand-père éternel. Dieu ou le père Noël, saint Nicholas.

Il a répété: «C'est vous l'enfant-prodige, David?» A trottiné pour aller prendre dans ses mains deux de ses chats, est allé s'asseoir, banc-lit d'une grande rusticité, immense verrière, cent plantes s'épanouissaient. J'ai dit: «Monsieur, je suis seulement un enfant égaré par ici. Comment faire pour rentrer chez moi?» M'a regardé longuement, a plissé les yeux, a fini par dire: «C'est facile si tu sais bien d'où tu viens!» J'avais pas envie de retomber dans le charabia de Vélar. J'ai dit: «On m'a kidnappé le 13 mai. On m'a pris pour un fils du consul d'Israël, mais je suis rien du tout.» Le vieillard est allé dans un recoin de l'observatoire, a ouvert la porte d'un frigo camouflé dans un socle de marbre, a bu du lait! En lapant, comme un chat! Ensuite, il les a fait boire, ses chatons blancs, m'a examiné de nouveau; son regard me gênait, me pénétrait, j'ai dit: «Je ne suis qu'un écolier comme des millions d'autres. Un peu plus fort en maths et en sciences.» Galiléo a ajouté: «En musique aussi! Et en peinture. En littérature et en histoire. En géographie aussi, n'est-ce pas, David? D'où viens-tu exactement David?» J'ai dit tout net: «Du 4903, rue Hutchison, à Montréal.» A dit: «Ne joue pas l'innocent. Tu sais bien que nous arrivons les uns des autres. Parfois de très loin. Nous naissons les uns des autres. Tu ne sais pas encore d'où tu viens au juste. C'est ça? Alors tu ne sais trop ou t'en retourner?»

Je ne voulais plus parler. Lui aussi, piqué du cerveau? «Moi, je viens de loin. Du bonhomme Galilée? Ça se peut. De Platon et Socrate? Peut-être. De Descartes et de Rousseau? C'est possible. De Kant peut-être? Je l'ai tant lu! De Nietzsche, ça c'est sûr! De Hobbes et de Locke? Un peu sans doute. Et aussi de Voltaire et de Hegel. Oh oui! On arrive de tant de monde. Ils vivent, ils collaborent. *L'homme ne meurt d'aucune mort!* L'esprit, David, c'est si merveilleusement transportable et transférable!» Il y eut soudain un grand rire, le sien et puis un autre, celui de Mira! Elle s'avançait, en vrai chef, la crinière flamboyante en bataille, vers l'astronome et l'embrassa, le rouge et le blanc emmêlés quelques instants. «Bonjour, David!» Ne lui ai pas répondu, n'aimais pas du tout cette lionne hypocrite. Le vieillard l'a senti, m'a invité à grimper dans sa machine volante, assis entre ses jambes. Là-haut, un songe, troublant, le ciel, le plus profond, des frissons, sur ma nuque et, c'était terminé, je ne voulais plus rentrer! Je voulais partir pour Sisymbre, n'importe où, plus loin que cette planète de la mission-Vélar. Mon vieux blanc bon dieu m'a dit se nommer Richard; il avait collaboré avec d'autres militaires à un système photo télescopique par infrarouge, je saisissais pas tout, ils utilisent des milliers de capteurs, il m'a dit qu'avant Vélar, du côté de Tucson, à l'observatoire de Steward, le télescope avait un diamètre de près d'un mètre, mais qu'ici c'était mieux. Maman, toute une longue-vue! Richard, il veut que je l'appelle Richard, pointe son télescope au-delà de notre galaxie et peut voir alors jusqu'à des milliards d'années-lumière. Puis, il m'a fait regarder nos étoiles que je connais par leurs noms depuis l'âge de cinq ans, la patience de papa. À cette époque, papa se passionnait pour l'astronomie.

Je suis redescendu de la grue, j'étais changé une fois de plus. Devenu encore un autre, me suis surpris à sourire à Mira-Miranda qui jouait avec les chats de Richard, étendue sur des dalles de porphyre. Elle m'a dit: «Nous savons où nous réfugier mais nous tâtonnons pour vaincre le temps. Nous comptons sur ta fraîcheur.» J'ai rien dit; comment je pourrais aider ces grands esprits à Vélar? «Vous serez mis avec d'autres brillants orphelins!» J'ai sursauté et j'ai répliqué: «Combien sommes-nous?» Richard barbu a dit:

«Une cinquantaine, David. Vous apprendrez l'espéranto; nos jeunes sont de vingt pays différents.» Richard a continué: «Elie Wiesel, l'écrivain, a pu rassembler quatre-vingts Prix Nobel à Paris, en 1988. Nous arriverons à en inviter autant, ici, parmi les deux cents, du monde entier. Nous vous mettrons en présence, sorte de brainstorming. Jeunes et vieux génies, ça devrait faire des étincelles! L'expérience et la candeur sauvage, souvent utile pour découvrir! Les savants confirmeront les vertus du savoir mêlé à l'intuition.» Vieux-Richard avait faim. Sommes allés à un kiosque de plein air. Il y avait des musiciens ambulants, une bouquetière est venue nous offrir des fleurs. «Ce sont des plants fleuris de cytise», m'a soufflé Mira. Malgré ses airs de garce, Mira est peut-être savante? Maman me recommandait souvent de ne pas me fier aux apparences. J'ai dit: «Est-ce que je vais revoir mon père? Aveugle ou non?» Mira a dit: «Ton papa est en mission périlleuse.» Un mensonge de plus?

Grand parc, des réverbères, des ombres mouvantes, on m'a fait manger des légumes inconnus. J'ai bu une autre liqueur d'un goût inconnu. Où étais-je donc? Ai songé à ces émissions de télé: des gens bien soignés mais accablés par des interdictions diverses. Je réfléchissais: à quoi peut servir un aveugle comme papa, dans une soi-disant mission périlleuse? Le barbu Richard, qui sait tout, a fait allusion à «pour sauvegarder des hordes de bêtes rares». Papa devenu une sorte de berger au fond de l'Afrique ou en Australie du Nord? Mira avait ajouté: «C'est qu'il en faut des organes d'animaux sains, des tonnes!» Il m'arrive de saisir des bribes de conversations. Je joue le garçon rebelle. J'étais tiraillé: m'évader ou rester dans ce paradis artificiel?

J'ai changé depuis que j'ai regardé dans le télescope géant. Une part de moi suggère de séjourner ici en tout confiance. Des joueurs de mandoline déambulent pour distraire certains pensionnaires installés dans d'autres tonnelles, charmilles fleuries. Une atmosphère de détente flottait dans l'air du soir. Richard le barbu m'a conduit à un bâtiment derrière ce pavillon central couvert d'aristoloche qui grimpe jusque dans les vitres. «À partir de demain, vous irez vivre avec les autres enfants dans l'aile sud. Vous y serez à l'aise. La jeunesse aime la jeunesse.» L'astronome avale, un goinfre, des tas de platées de divers poissons frits. Il bave, visage empourpré, bouche graisseuse, doigts salis.

À un moment donné, ai vu une dizaine de garçons qui riaient et chantaient, loin, sous une pergola couverte de rosiers. Je me suis demandé s'ils avaient été victimes de kidnapping. Ils ont l'air vieillis. Des nains? Il fallait me décider: fuir ou alors collaborer à cette odyssée vers Sisymbre. Simples signatures génétiques. Le reste dans une urne et bien casé, numéroté. J'en frissonnai. Trop de choses me rattachaient encore au monde, monde si chaud, maman. À mes habitudes d'enfant insouciant. Je ne voulais pas vieillir davantage. Pas de cette façon, pas ici au camp Vélar. Je préférais aller achever cette maisonnette dans le vieux saule.

33

J'écris maintenant pour rien. Pour mon plaisir ou pour d'autres malheurs à venir? C'est terminé. Juste à temps, je remplissais les dernières pages de mon livre à colorier. C'était le signal? Ce fait me fit prendre une décision irrévocable. M'en aller de ce drôle de camp. J'ai attendu la pleine nuit, le silence total. Ai repris mon linge du 13 mai, ai mis mon coupe-vent, acheté par Doublevay, ai ramassé mes petites affaires, peu de choses. Ai volé un tas de biscuits aux cuisines. Ai mis dans la grande poche arrière de mon blouson, mes deux albums, au cas où je me ferais descendre. Suis sorti, à pas de loup, ai traversé les couloirs, ai ouvert la porte du côté ouest du manoir. Pas un chat! Personne pour m'arrêter. Je respirais mal. Je voyais assez bien. La lune était d'une grande force. M'éloignais des lampadaires à jardins. Ai piqué aussitôt à travers le vaste potager de l'ouest. Dans une allée, ai vu une fausse grotte en pierres, la Dame de Fatima; la statue semblait m'observer, une lampe s'est mise à clignoter, son visage animé m'a semblé vivre. Frisson! Un encouragement aussi? Fuyant, j'ai fait une prière à cette madone craquelée. Ai marché vers le nord jusqu'aux abords du boisé. Très loin, phares d'autos sur l'horizon. C'était si loin, hélas! Ai marché longtemps; soudain, un uniforme jaune a surgi. J'approchais du mur-frontière de Vélar. Cagoule de coton violet, il tenait une mitraillette: «Vous allez où, m'sieur Lange?» Tout le monde sait donc qui je suis? J'ai pris un risque, et ma plus grosse voix: «Je suis en mission. Pour Mme Mira, notre Présidente.» Il a dit: «Soyez très prudent, on a vu des coyotes par ici la nuit dernière.» Menteur, j'ai dit: «J'ai l'habitude et je suis armé.» Cette vigile a marché à mes côtés durant quelques minutes. Plus tard un édicule sur échasses métalliques m'est apparu, juché entre trois arbres. J'ai tout de suite pensé à ma cabane dans le saule, le garde y a grimpé, leste comme un chat; il m'a dit: «Bonne route! Bonne chance!» Un peu plus loin, je me suis arrêté. Me suis dit: «On me laisse aller? Un nouveau piège? On me fera tomber dans une trappe, quelque part, au-delà du mur.» Tant pis! Me suis décidé à enjamber ce mur et j'ai foncé à travers des champs en jachère vers la route.

Saurais-je un jour, si, oui ou non, on a fait exprès de me laisser filer? L'aube pointait timidement. Harassé par les moustiques des marais salins, épuisé, je suis parvenu à l'autoroute observé souvent des fenêtres de ce couvent. Deux routes se croisaient, tunnels, long pont de béton. Ai marché lentement en bordure de l'autoroute, ai pu respirer un peu plus à l'aise. Étais libre. Enfin, je pouvais redevenir un enfant qui irait s'inscrire en première année secondaire du collège, rue Fairmount, près de chez moi.

Peu de circulation à cette heure du matin. L'aube s'intallait lentement. Avais froid, sentais que la liberté me serait acquise qu'une fois revenu à mon cher 4903 de la rue Hutchison. Je me suis endormi… N'en suis pas certain. Me suis accroupi sur l'accotement de gravier, m'appuyant sur la clôture métallique bordant l'élévation des deux chemins de campagne. Ce que je sais, ce que je me rappelle, une voix douce, gentille qui m'appelait par mon nom: «David? C'est moi le papa de ton copain. David? tu m'entends?» C'était le consul, M. Livemann, il avait mis ses feux de détresse, la portière de sa voiture était ouverte, il était penché sur moi. A dit, quand j'ai ouvert les yeux: «Venez, il faut partir d'ici. C'est urgent, mon petit.» M'a pris dans ses bras, mes jambes flageolantes d'avoir marché des heures jusqu'à cette voie rapide. Samuel Livemann m'a installé à l'avant, à son côté. Est allé rapidement reprendre son volant. On a roulé un long moment en silence. Je craignais qu'il me ramène à Vélar, qu'il fasse partie de cette communauté dont je venais de prendre congé. A fini par tourner vers le nord au bout d'une longue demi-heure. Ai pu lire: «Bangor, 50 kilomètres.» Une route du Maine. Augusta est annoncé. Nous filions vers mon pays, c'était probable. En avais besoin, en avais des palpitations partout, mes oreilles bourdonnaient. Je revenais de loin. J'ai pleuré. «Pleure un bon coup, mon garçon. Ça te soulagera.» J'ai pleuré longtemps, doucement. Ai versé toutes les larmes de mon corps. Le consul m'a dit, je me calmais enfin: «C'est inhumain tout ça! Est-ce qu'ils t'ont battu, ces infâmes?» Ai dit: «Non, c'est pas ça. C'est de ne jamais savoir quand ça finira, m'sieur.» M'a fait une caresse. Le père du vrai David a dit: «On va prendre soin de toi. Tu vas voir. Tu seras bien à la maison.» Ai dit: «Est-ce que vous avez pu voir ma mère, la réconforter.» A dit: «J'ai fait tout ce que j'ai pu.» Sortant d'un *turnpike,* village endormi. «Il faut manger un peu. Ça va te faire du bien, David.» Une affiche disait: *Concord.* Un panneau, New-Hampshire. Avant de stopper, le consul m'a raconté une aventure qui concernait un couple, il y avait vingt ans, sur cette même route, une subite panne en pleine nuit. «À Exeter», a précisé le consul. Barney Hill et Betty, son épouse, affirmèrent avoir été kidnappés par des humanoïdes d'une planète hors de notre galaxie. Séparément et sous hypnose, un médecin, Benjamin Simon, aurait fait raconter aux Hill exactement le même récit: des extra-terrestres les auraient examinés longuement dans un vaisseau puis les auraient relâchés et reconduits à leur voiture! Je n'ai pas bien entendu la fin, m'étais endormi. L'épuisement de ma randonnée dans les bois? Le consul d'Israël m'a réveillé: «On y est, David, on va manger un peu.»

À Concord, j'ai mangé. Pas beaucoup. L'émotion. Le consul m'a dit, en buvant son café: «J'espère ravoir mon David bientôt!» J'ai sursauté: «Lui aussi? Enlevé?» M'a expliqué: quatre hommes, en cagoules, avaient réussi à kidnapper son garçon que l'on avait conduit, après mon enlèvement, à leur chalet de Sainte-

Agathe-des-Monts. N'en revenais pas! Deux David enlevés? Radios et télés ne le disaient pas? Je servais à brouiller les pistes? J'ai dit: «Où est-il?» M. Livemann avait les yeux noyés de larmes: «Loin. Dans notre pays, du côté de la Judée-Samarie.»

«Pauvre lui!» J'imaginais, lui aussi, d'abord traîné à travers dix refuges différents. Qu'on tentait peut-être, lui aussi, de manipuler. «Pauvre David!», j'ai répété et Monsieur le consul m'a pris un bras, a regardé sa montre: «Ça va s'achever maintenant, tu peux et tu vas nous aider.» Je voyais pas comment je pourrais aider à délivrer mon copain. Livemann a payé, sommes retournés dans la voiture, avons roulé de nouveau. Route 89. Ai lu sur un panonceau routier: *White River Junction*. Cela me chicotait tant, ai demandé au consul: «Est-ce que vous savez si mon père est vraiment mort?» M. Livemann m'a jeté un regard nerveux: «Évidemment, tu n'as pas su, aux États-Unis la police a retrouvé le cadavre de ton papa au grenier d'un taudis dans le ''*Little Havana*'' de Miami.» Ai crié! Un très long cri! Le dernier cri que je retenais depuis longtemps.

Ainsi on s'était servi d'un sosie. Pour mieux m'attendrir? Me faire espérer? «Les salauds! Les salauds!» Je répétais «les salauds» quand Samuel Livemann m'a interrompu: «Ton père a misé sur un mauvais cheval, j'en ai bien peur, David. Tu veux la vérité?» Ai fait signe que «oui» à travers mes larmes. Il a continué: «Ton père n'était pas ce pêcheur innocent. Il était très bien rémunéré. Par Cuba. Il avait infiltré une organisation anticastriste en Floride et ils l'ont su, mon pauvre enfant.» Avais changé, avais mué, je maudissais ce père révolté, un espion en mission. Maman devait faire des ménages pour subvenir à nos besoins. Je détestais ces chicanes internationales. Je me jurais à moi-même de me désintéresser, le reste de mon existence, de ces bagarres aux quatre coins de notre planète.

Il y a eu un long silence. J'ai dit: «Vous dépassez énormément la limite!» Il a dit: «J'ai mes papiers officiels encore. Je dirai que je suis en mission si un flic se montre.» Le mot «mission», la nausée. Plus jamais ce mot.

Forte brise puis vent violent quand nous sommes entrés dans les Montagnes Vertes. Des éclairs jaillirent de partout dans le ciel couvert. Le tonnerre se mit à gronder terriblement. Une pluie violente, soudainement, s'abattit sur l'autoroute et M. Livemann ne ralentissait pas. N'avais pas peur. Plus rien pouvait m'effrayer. Surprise à la hauteur de Barre; le consul ralentissait et sur une bretelle fonçait vers ce même restaurant alsacien, où je m'étais fait conduire par Herr et Zaide au début de ma mésaventure. Ai dit: «M. Livemann! Jurez-moi que vous ignorez tout de mes ravisseurs?» Il a dit: »Impossible. Croyez-moi, ils ne sont pas tous contre vous. Ne les jugez pas trop vite, David. Vous devez me croire.»

L'orage cessa aussi vite qu'il s'était déclenché. Petits frères qui lirez peut-être ceci, imaginez mon étonnement: le parking de la rôtisserie-brasserie, Herr fume son cigarillo pas loin! Sur un banc de bois moussu, Zaide, alias Zénon Blass, le rouquin irlandais causait avec le gros Doublevay. Je me retrouvais à la case «départ». Replongé dans cette affaire. Au point «zéro». M. Livemann a fait un signe. Le trio est entré dans ce restaurant des confins de la petite ville. Je me suis laissé faire, docile, j'étais déjà brisé, résigné. Je me détestais. Je me disais qu'il ne pouvait plus rien m'arriver de pire de toute façon, tout serait encore des truquages, un théâtre. Je pourrais tirer à bout portant, une fois de plus, ce suceur de menthe, il se relèverait! Comme au temps de nos guerres de cow-boys dans la ruelle de la rue Hutchison. Herr, dans la rôtisserie, est venu vers nous le premier: «David? Tu as bien fait de te sauver. Vélar, c'est l'asile des fous.» Ne disais rien. Étais celui qui était retombé dans un abîme. Je souriais mais j'avais envie de me tuer, courir me coucher sur la route, me faire écraser comme un crapaud. Zaide s'est approché et a voulu me faire asseoir sur lui. J'ai bondi: «Je suis plus un enfant. Je sais trop que tout est arrangé. Comme dans un roman ou un film! Dites-moi ce que je dois faire. Racontez-moi le prochain chapitre, ou la séquence suivante, je ferai ce que vous voudrez!»

Doublevay Wagner m'a poussé vers une loge de bois au fond du restaurant: «David, c'est vraiment la fin. Tu vas le constater M. Livemann est un bienfaiteur de l'humanité. C'est lui qui a déniché la richarde arménienne et qui a monté la Fondation Vélar. Faut que tu saches.» Ai quitté aussitôt le gros Wagner, ai couru vers le consul: «C'est vrai? Vélar, c'est votre ouvrage, monsieur

Livemann?» Il a souri: «Sans l'immense fortune de la veuve Sheitoyan, je n'aurais pu y attirer les futuristes fascistes illuminés de tout l'Occident.» Suis retourné au fond du restaurant. Trop compliqué pour ma petite tête de «génie en herbe». Avais besoin d'y réfléchir. Ainsi le domaine du Maine servait pour boucler les mercenaires en mal d'action et des savants en mal d'argent vite gagné? Doublevay a dit: «Zaide a veillé sur toi. C'était pas facile, ces fanatiques sont pas tous des cons.» Suis allé vers Zaide qui me souriait, installé sur un tabouret du bar avec une bouteille de vin blanc: «Paraît que je dois vous remercier, monsieur Zaide?» M'a fait grimper sur un tabouret voisin du sien: «David, tu dois savoir une chose, une seule: grâce au camp Vélar, les agences de renseignements de l'Est ou de l'Ouest, qui veulent désormais la paix, savent ce que trament des désaxés ou autres idéalistes cytologistes! Ce *prurit* d'agitateurs s'y trouve concentré et contrôlé.»

Suis descendu du tabouret. En avais assez entendu sur ces manipulateurs d'enfants et leur navette spatiale bourrée de signatures génétiques. Herr Roger-Robert me prit la main, me ramena à la table du consul en me disant: «Vieux Jeff, Marinella et Fasano avaient concocté cet enlèvement Livemann en Europe et comme ils nous croyaient de leurs côtés, ils nous ont contactés. Mais ceux de Vélar voulaient le David petit génie, toi, pas l'autre.» M. Livemann m'ouvrit les bras: «Fasano, le pro-O.L.P., voulait le mien, qui n'a pas ton intelligence hélas!», ses yeux se brouillèrent de larmes, «et qui n'a pas de santé du tout!»

Mais oui, mes petits frères, mon petit copain était un condamné en sursis. Je l'ai souvent jugé lent à réagir. Je ne savais pas. Voilà que le consul m'apprenait qu'il allait vers, il a dit une trisomie sévère, je l'ignorais. Je l'avoue, j'allais souvent chez David Livemann à cause de ses jouets et tous ses jeux. «J'ai déjà cru à la cryothérapie, puis à la caryothérapie, de là une part de mon intérêt pour les chercheurs de Vélar. Mais c'est fini.» Le consul alla pleurer dans les toilettes. Zaide reprit la parole: «Bientôt, on va vraiment clôturer très, très hermétiquement, Vélar!» Herr ajouta: «C'est un secret important que l'on te confie, on a confiance en toi. Plus personne, aucun orphelin surdoué, n'aura à passer par où tu viens de passer.» Le consul, revenu, calmé, sembla reprocher des yeux cette confidence. J'ai dit: «Gardez vos secrets, je veux une seule chose, rentrer chez moi, tout oublier, retrouver mes amis, prendre soin de mes frères.» Là, il y a eu un long et drôle de silence. Ai marché vers la sortie. Ai donné de grands coups de pied dans la porte. Le gros Wagner, aussi silencieux que les autres avale quatre papermannes. Je vis une étrange grimace, ai eu un mauvais pressentiment, ai crié: «Venez pas me dire qu'eux aussi, mes frères?» «Rassure-toi», cria le consul, «tes frères vont bien et ils vivent avec grand-maman Rosenzweig, en tout sécurité, ma maison est bien gardée.» J'ai mis du temps à saisir ces paroles: «Pourquoi ils vivent chez vous maintenant?» Il y eut un embarras. Ai appris le reste peu après. Le consul m'a ramené entre ses genoux et a pris un ton paternaliste: «David, bientôt, tu vas aller t'installer chez moi, avec tes frères. Tu l'aimais bien mamie Rosenzweig, pas vrai?»

Suffisait. Ai reculé lentement, raide, très tendu, ai reculé jusqu'à la porte d'entrée. Le barman, la serveuse me regardaient derrière leurs comptoirs. Ai dit à voix basse: «Est plus là? Ma mère? Elle est morte?» Long silence. Ai su à ce moment précis que nous étions quatre orphelins. Zaide venait vers moi, me suis jeté dehors, ai marché jusqu'à la voiture du consul. Ai vu la clef de contact, ai songé prendre le volant, démarrer, rouler. Sans but. Ailleurs. N'importe où jusqu'aux montagnes pas loin, et là, l'auto du consul dans un ravin. Disparaître. En finir. Ai revu, en pensée, Laurent, Thomas, Simon. Ils ont besoin de moi. Ai pleuré, doucement, coups de pied dans un pneu de l'auto du consul. J'étais devenu vraiment le gardien de mes frères. Un responsable. Un adulte. Me suis essuyé les yeux. Les quatre hommes derrière moi, silencieux, respectueux. Le consul à voix basse: «Elle n'était pas en bonne santé. Tu le sais bien, David. Elle a craqué quinze jours après le kidnapping. J'avais tenté de la rassurer un peu. Tu étais rendu en Italie, je crois bien, à ce moment-là.» Herr l'ouvrit à son tour: «On a cru bien faire, on a rien dit! Tu étais assez accablé comme ça.» Le consul m'a caressé vitement la crinière, me suis senti un chien bâtard, sans collier. M'endurcissais. Dehors. Tout le monde dehors ensuite.

On a roulé, dépassé Burlington, atteint la frontière. Le consul a sorti ses paperasses. On l'a laissé passer. Je regardais derrière, la Plymouth arrêtée, le trio des ravisseurs du début de cette histoire. Zaide devait montrer ses cartes d'agent secret d'Ottawa, de Washington, d'où encore? Leur voiture démarrait aussi vite que la nôtre. Une passoire, ces douanes. Mon pays! Enfin, on roulait sur une route de chez moi. Étais soulagé, un peu rassuré, ne cessais pas de songer à vous mes enfants, pensionnaires du consul malgré vous, maman morte sans que j'aie pu être à ses côtés. Nous approchions de Saint-Jean d'Iberville. M. Livemann achevait ses explications sur Vélar: formidable «piège à mercenaires» et à «fanatiques de tous les pays». Il parlait des réfugiés qui entraient au Canada avec de faux passeports. Aussi d'une momie ramenée au statut de vivant grâce à un brin d'ADN encore fonctionnelle. De nazis installés ici. Il m'avait parlé plus tôt, de Grandfort en Ontario, où un certain Mahamond Issa Mohanumad, terroriste condamné par Israël, ayant déjoué nos douaniers, filait des jours paisibles. Il ne cessait pas. M'avait décrit aussi une chasse chez nous par des agents de Hun Sen contre des sihanoukistes, d'autres du FLNPK; j'avais éclaté: «Assez! Fini tout ça. Veux plus entendre parler de ces saloperies d'humains.» Le mot «humain» l'avait frappé, on dirait. Il a dit: «David! Il reste quelques humains sur cette terre. Prenez garde, si vous devenez sans aucune espérance, vous êtes mort, mon garçon.» N'ai plus rien dit, il s'était énervé et avait ralenti. Des odeurs de fumier de mouton s'installaient dans la voiture. On aurait dit que cela m'avait calmé. Vent de réalité? Ai dit: «Ça va passer mais il faudra du temps. Finirai par trouver des raisons d'espérer, monsieur Livemann.» Avait accéléré de nouveau, son front couvert de rides. Ses cheveux me parurent d'un jaune doré, le soleil s'était montré après l'orage. Des rayons obliques l'illuminaient. Ai eu un peu d'affection pour cet organisateur de la Fondation Vélar. Le site allait se changer en asile d'aliénés graves! Ainsi ces enragés fanatiques n'embêteraient plus jamais les jeunes orphelins.

Le consul me déclarait soudain: «Le ministre de la Défense de mon pays compte encore sur moi, David. Et moi je compte sur vous.» Ai dit: «Faut pas! Je ne suis plus libre, mais le tuteur de trois petits garçons, moi!» Il prit un ton plus dur: «Il y a votre copain, mon David à moi. Notre ministre Boulding a un plan: avec votre aide, ça ne prendrait pas longtemps. Une journée, deux au maximum. Un voyage aller et retour à Jérusalem.» Ai dit, calmement, fermement: «Je ne veux plus jamais prendre un avion. Je n'irai plus que chez mon grand-père. C'est là que nous irons nous installer, tous les quatre. On ne va pas vous encombrer longtemps, Côte Sainte-Catherine.» M. Livemann parut agacé par mes propos. Ralentit, monta sur l'accotement, sortit de sa voiture, alla m'ouvrir la portière. «Sortez un instant. Juste un instant.» Ai refusé carrément; il m'a tiré hors de l'auto. Se mit à gueuler: «Vélar n'est pas encore un pénitencier. Ils sont partout. Si je vous laissais ici, quelqu'un sortirait vite de l'ombre et prendrait ma place auprès de vous.» L'ai défié du regard. «Laissez-moi ici! Partez. Je préfère me débrouiller.»

Grande surprise, le consul remonta dans son auto et démarra. Seul. Je regardais le soleil se coucher sur les champs fraîchement tournés dans ces parages du Richelieu. Me sentais débarrassé. Oui, j'étais seul, personne enfin pour me seriner la liste des sigles de la folie guerrière. La sainte paix! Un corbeau se posa sur un piquet de cèdre, semblait m'examiner, penchant la tête de tous les côtés. Me suis mis en marche. Si j'appelais les gendarmes dans la maison d'un cultivateur? Non! Zaide me serait envoyé aussitôt? Ça recommencerait.

Ai réalisé: c'était mon anniversaire. Avais lu, brasserie de Barre, sur un mur, un chiffre: 13. Né un 13 juin. Deux ans après nos Jeux olympiques, 1976. L'année où, une fois de plus, on était venus, par précaution, arrêter mon père. Il était revenu de son exil en Algérie, l'année d'avant, en 1975. On le filait sans arrêt. Maman nous faisait prier pour lui à deux ans, à trois ans. Maman était catholique-pratiquante. Ce qui enrageait notre père, un mécréant total, lui qui avait été pourtant séminariste chez les Franciscains, qui avait été un adolescent mystique, se destinant aux Oblats de Marie-Immaculée. Il avait étudié dans un de leurs couvents. Je me souviens de tout ce que maman, si bavarde, m'avait raconté. Soleil aveuglant, je marchais droit sur lui. Me sentais tout réchauffé jusqu'au fond de l'âme. Voulais oublier ce qu'on avait tenté de m'inculquer. Trente jours de folie furieuse. Difficile. Avais hâte de me replonger dans mes livres sur la nature. Que m'importait que Fasano m'ait répété que le Japon, envahi par la Chine, ne pourrait résister que deux heures dans les airs, une semaine sur mer, un mois sur terre! Balivernes! Je dois arriver à oublier tout ça. Le soleil m'inondait. Ai songé au Polonais blond, à son «Sud» misérable. Ai songé aux millions d'enfants mourant chaque année avant l'âge de cinq ans. Point au côté. Je restais humain, aurait dit le consul? En effet, retrouver l'espérance simple: j'irai chercher Thomas, Simon et Laurent, me rendrai chez grand-papa, lui dirai: «On va vous aider tous les quatre, vous allez nous garder.» Il refusera pas. Il nous aime. Ma seule espérance, cher M. Livemann. Je marchais, en sifflotant vers une maison de pierre des champs. M'étais dit, c'est là, cognerai à la porte et dirai: «Je suis le kidnappé, David Lange. Donnez-moi un peu d'argent pour prendre l'autocar jusqu'à Montréal.» Ne plus me fier à personne, ne pas appeler la police. Sont tous dans la soupe aux lettres, emmêlés aux indicateurs, aux mercenaires apatrides, aux espions défroqués surtout. Ne pas alerter la police, ce serait encore le bringuebalage, un nouvel exil.

Plus fort que moi. Malgré moi, revoyais les Herr, Jeff, Marinella, Zaide, Doublevay, le vieux barbu astronome... Je songeais à tout ce que j'avais entendu. Par exemple, l'horreur pour la grosse Cécilia, le Pakistan, une puissance nucléaire, aidé par des Allemands de l'Ouest. Bientôt le tour de l'Argentine et du Brésil. On livrait des matériaux fissiles pour y collaborer. Israël y était à fond, l'Afrique du Sud s'y préparait. Tous, en cachette... Je revoyais Jean-Paul 3 braillant: «La banalisation des armes nucléaires réduit en cendres les ententes USA-URSS!» En étais malade. On m'enseignait l'angoisse. La peur. La mort. Je devrai me faire déprogrammer comme on fait avec les jeunes enrégimentés de sectes religieuses. Est-ce que j'arriverai à redevenir un garçon normal qui termine sa cabane dans le vieux saule chez grand-papa? En doutais. Ai marché sans me rendre compte du parcours. Avais dépassé la vieille maison grise. Revenir sur mes pas? Hésitais. N'avais plus aucun désir solide? J'étais un enfant malade. Il fallait que je me secoue. Un camion stoppa. Une voix tonna de la haute cabine du routier: «Veux-tu un pouce, tit-gars?» Y suis allé. Un somnambule. Ai regardé le type là-haut. M'a semblé revoir le Georges livreur de fruits de mer sur la Côte d'Azur. Il avait un accent de chez nous. «Si ça te tente? Je me rends direct au marché Jean-Talon. Embarque-t-y ou t'embarque-t-y pas?» Ai grimpé. Son nom était Jack Genet, qu'il m'a dit. Je suis pas resté longtemps. M'a dit: «Tu peux me rendre un service?» Lui avais demandé s'il pouvait me passer quelques dollars. M'a expliqué, ai cru que tout allait recommencer: «Tu vois, je te donne deux adresses, David, d'abord rue Bourret chez ce gars-là.» Il m'offrait un carton déchiré, un vieux paquet de cigarettes. «Abrahim Abkaki. Tu débarques un paquet pas plus gros que ça!» Il me montrait deux gants d'épais caoutchouc. «Tu iras ensuite chez, il lut, Sharoh Gandjiki, rue Faillon. Une autre paire de gants.» Il m'a dit: «Tu vas recevoir une liasse de piastres si tu fais ça vite.» Ai dit: «C'est quoi ces gants?» Le Jack rigolait: «Ça vient de l'Iran stock rare, tit-gars. Pose pas de questions pis livre la marchandise.» J'ai crié: «Arrête, je vais vomir!» A stoppé son camion, suis redescendu. C'était fini. Assez. En ai assez. Vite m'en aller vivre dans ma cabane du saule, la calfeutrer, assez pour pouvoir y vivre été comme hiver, avec mes frères. Aller pêcher, ne plus aller à l'école où on pourrait reparler de cette soupe aux lettres des enragés du monde. Le soleil baissait toujours, n'y avait que des champs. Trois vaches voulaient traverser la route. Ai crié pour les effaroucher, qu'elles puissent retourner dans les enclos. Une vache à glissé, gros tas noir et blanc dans les herbes sauvages. J'ai eu envie de rire, mais il y avait si longtemps que j'avais pas ri, je savais plus comment faire.

34

Je voulais terminer mon histoire. Je voulais, en écrivant, terminer le récit de mes gros albums à colorier. Avais besoin de raconter la fin de mon odyssée malheureuse. Après être allé donner des coups de pied pour que la vache se redresse et rejoigne le troupeau bêlant, ai entendu une voix. Un rire. Me suis retourné. Au bord de la route, près de Saint-Jean, il y avait une belle fille, peau rousselée, chapeau de paille, moins blond que ses cheveux. Était juchée sur le siège métallique d'un tracteur tirant une charette à quatre roues, pleine de légumes. Elle souriait et cria une deuxième fois: «Êtes-vous le cousin de la ville qu'on attend?» Suis allé vers elle, le cœur en compote, lui ai dit: «Peut-être! Est-ce que je peux grimper?» Elle a ri, a dit: «Oui». La fille, à peu près mon âge, paraissait calme, me semblait reposante, une telle insouciance. Belle image de paix, du bonheur, gravure de calendrier chez grand-père. Assis dans sa remorque, ai pris une carotte, l'ai croquée. A fini par faire tourner sa machine dans un sentier de gravier et stationner tracteur et charette près d'une serre démolie. Ai dit: «J'aurai besoin de téléphoner. Je peux?» Elle a dit: «Venez dans la maison. On a ça, le téléphone. Vous êtes pas le fils de l'oncle de Joliette?» Ai dit: «Je suis rien du tout. Mes parents sont morts. Je suis seul au monde.» Son père a ouvert la porte en criant: «C'est-y lui, Janou?» Janou a crié: «Non, c'est pas lui. C'est personne.» Ça m'a fait drôle.

Le père de Janou a eu dix enfants et parle beaucoup en fumant sa pipe. Vieux, il y a eu cette double surprise! Janou se formant dans le ventre de sa femme de 49 ans! Et la mort de l'épouse en accouchant de la petite inattendue. Ne savais pas trop à qui téléphoner. Si on m'avait menti? Mais non. À la maison personne! Une voix enregistrée: «Il n'y a plus de service...» Maman est vraiment morte. Me voilà au bord des larmes. Me suis souvenu du numéro du consul, téléphonais si souvent à David Livemann. Grand-maman Rosenzweig décroche, Côte Sainte-Catherine. Je dis rien. Janou et son père me regardent. Raccroche sans rien dire à cette voix fébrile qui répétait: «J'écoute, avez-vous des nouvelles de David? J'écoute...»

Se nomme Albert Joanet, le père de cette Janou-surprise. Sœurs et frères tous mariés, partis s'installer en ville. Accusez-moi de lâche, mes petits frères, que voulez-vous, la vérité? Ne voulais plus m'en aller. J'étais bien avec elle, avais besoin de Janou, ses fous rires. Je ne pensais plus à «vite vous retrouver, vous secourir». Me disais: tu es trop jeune pour jouer le père de trois autres. Janou était comique, faisait des pitreries, de cocasses grimaces. Elle avait un bel aquarium et deux chats bien noirs, deux perruches, un chien savant, capable de prouesses. Le père ne posait pas de questions. Ai seulement dit quand le vieil Albert m'a questionné: «Je viens de Montréal, suis en visite dans la région.» Rien de plus. Les habitants, que je me disais, ne sont pas des compliqués comme ces vilains bonhommes que j'avais connus durant quatre semaines. Janou m'a fait visiter son jardin aux fleurs, et sa grande armoire à jouets et à jeux, dans sa chambre mansardée. Était moqueuse, m'appelait le «surgissant». Le père préparait le souper, avait une grosse canne: «Un accident de tracteur, il y a dix ans», qu'il m'a expliqué. Il était grommeleur, me faisant songer à l'acariâtre tante Gertrude dans le vieux Verdun.

Juste avant le souper, il mettait la table, m'a dit: «Chez nous, c'est le moment de la prière, mon gars. Viens.» Il a ouvert une pièce, un petit oratoire, s'est mis les pieds dans des sandales après avoir enlevé ses chaussettes et ses souliers. Un petit autel dans le coin d'une chambre transformée en chapelle. Janou semblait rigoler dans son dos quand il m'a dit: «Je prie le Mahikari. Bon pour la transmission de la lumière.» Ai interrogé du regard la fillette, a haussé les épaules, signifiant qu'il fallait laisser faire son papa. «Veux-tu recevoir Olyome, mon tit-gars?», qu'il m'a dit. Ai dit: «Non, merci. Je suis toujours un catholique. Comme ma mère.» J'ai pensé à ma mère pieuse, morte! Albert prend des airs de grand initié, de prêtre, me dit à voix basse: «Je me suis converti à Mahikari en ville, rue Beaubien. Ça nous vient du Japon tout ça.» Me suis souvenu de Fasano, en route pour Rome, qui m'avait glissé: «Je suis de l'*Opus Dei,* nous serons d'une formidable force quand sonnera le départ des justes pour Sisymbre.» N'avais pas trop compris. C'était avant Vélar au bord de la mer, dans les bois du Maine. M'avait dit: «On invitera le grand Alexandre Soljenitsyne, il ne dira pas ''non''.» Il y avait eu aussi le vieux Jeff qui se réclamait du Zen japonais. À Saint-Rémy, le potier Léo Garrigue, m'avait dit: «Chez vous, rien qu'au Québec, il y a déjà 600 sectes religieuses. Un excellent paratonnerre». Ai songé aussi, voyant prier le cultivateur, à cette église secrète, le deuxième Temple de Jérusalem, le projet-Loumaine, l'échec. Ai revu, en pensée, la grotte de la Dame clignotante quand j'ai fui cette Fondation et ses ogives déguisées en silos à grains. Albert s'est assis sur une natte, a mis un pied sur l'autre, a joint les mains. «Tu vois, mon petit, le pouce gauche, celui de l'esprit, par-dessus le droit qui est le côté matérialiste, corporel.» Il m'invitait du regard à l'imiter. Janou a fait comme lui, en souriant. «On va échanger de la lumière spirituelle, c'est bon», elle a dit avec l'air de ne pas y croire: «Les mauvais esprits vont sacrer le camp ailleurs», a grogné Albert, se laissant tomber sur le ventre. Suis sorti sur leur galerie, besoin d'air.

Ça aussi, ça suffisait! On m'avait parlé trop souvent, surtout la Mira, sous les tonnelles de Vélar, de passation de force, de recharge magnétique. J'étais déçu de voir cet agriculteur se changer en moine, le temps que sa soupe réchauffe. J'ai quitté aussitôt cette ferme, ai marché, le soir montait doucement du fond de l'Est. Sais pas trop pourquoi, j'aurais voulu avoir Janou avec moi, qu'elle puisse m'aider à vous élever, mes petits frères. Étais seul de nouveau. Sentais que je serais seul pour longtemps, le malhabile tuteur de jeunes orphelins. Me disais: «Il faut que j'aille les retrouver, que je les conduise à grand-papa, que je l'implore de nous garder un temps avec lui. Mais il est déjà si vieux!» Ma vue s'embrouillait de larmes. Une voiture a stoppé, un vieux tacot. Il y avait un goret sur le siège arrière, ficelé, couinant comme un qui prévoit l'abattoir. En avant, il y avait un mouton. La conductrice, forte créature, musclée, a pris le mouton, l'a jeté derrière la banquette avec le cochon de lait. M'a dit: «T'en vas-tu en ville, tit-cul? Tu peux monter si tu veux?»

Enfin, une personne se taisait, ne faisait que jouer avec les boutons de sa radio. A fini par trouver une musique country, a souri. Dodelinant du chef. Béatement. Jusqu'au pont Champlain. Je revoyais les lumières de ma ville enfin! Par la suite, a juré, gueulé contre le trafic du centre-ville. Elle allait au marché central. «Je veux être là dès l'aube, pour obtenir de gros prix.» Ses seules paroles. Je suis descendu coin avenue du Parc et rue Mont-Royal, ai marché jusqu'au 4903 de la rue Hutchison, ai vu la pancarte «À louer», pendue à notre balcon. Mon cœur s'est serré, ai eu mal partout.

Mes frères, vous connaissez la suite. Mme Rosenzweig a ouvert sa porte, Côte Sainte-Catherine. Vous vous rappelez? Vous étiez dans le hall de l'escalier, là où je me tenais quand, le 13 mai, deux hommes étaient venus et disaient: «Êtes-vous David?» Ai dit à la grand-mère du vrai David: «Je suis revenu pour emmener mes petits frères.» Vous avez crié, deux fois: «David! David!» Je me suis évanoui, étais épuisé!

Ensuite, vous vous souvenez de tout cela, me suis retrouvé dans la chambre du vrai David. Aurais tant voulu ne plus jamais revoir M. Livemann. Non, vous le savez, il a surgi, le lendemain matin, à mon chevet. Avec son médecin, ce bizarre vieux docteur Gobloomfeld. Ce dernier m'a déclaré en bonne santé après m'avoir inspecté durant presque une heure. J'étais embêté d'être installé dans la chambre de David Livemann. Ses belles gravures, ses jouets luxueux, son placard rempli de robots modernes. Mon petit ami était prisonnier, là-bas, en Cisjordanie lointaine. Il m'a fallu un certain courage pour refuser de nouveau d'accompagner son papa dans cette région guerrière. Lui ai dit: «J'ai un dur devoir maintenant: mes frères.» Il a pleuré en silence, vous vous en souvenez? N'ai pas compris le rôle que je pouvais jouer dans cette histoire. Ai saisi qu'il était apparenté à des Palestiniens par Mme Livemann, la mère de David. Je refusais d'être mêlé à des histoires de grand monde. Les adultes me sont devenus un sujet d'horreur. Sauf grand-papa. On vous avait installés dans la chambre voisine de grand-mère Rosenzweig. Ne voit plus clair, a renversé du jus d'orange sur le drap de mon lit. Fait pitié. Elle pleure sans cesse. Adorait son petit-fils, le *vrai* David, «retenu en otage par des gens bien agressifs», répétait-elle. Je savais ce que c'était. Désormais ces querelles du monde me laisseront de glace. Avant midi, le lendemain, M. Livemann m'a entraîné au vivoir. La télévision, un bulletin spécial. *Armada* d'hélicoptères de l'armée américaine remplissant l'écran. Vous avez cru à un jeu. Pas des exercices, mais la réalité d'où je sortais. Vélar était envahi! Pu revoir les visages, horrifiés, de tous ceux que l'on arrêtait. La grosse naine Cécilia, Mira, le vieil astronome et Jean-Paul 3. Les autres de la Fondation clandestine du Maine. Le gros officier qui est venu parler aux micros des reporters l'a bien dit: «Il s'agit de fanatiques. Des mercenaires de toutes les nationalités. Nous allons boucler leur domaine et ils ne pourront plus en sortir. Ce sera leur prison.» Ensuite, la caméra fit voir les silos secrets, la navette spatiale puis le *crematorium* souterrain!

C'est là que j'ai vécu les derniers jours de mon aventure. Le seul bon souvenir qu'il m'en est resté, c'est d'avoir pu voir ces poussières d'étoiles, l'infini dans le télescope du barbu Richard. C'était magique, féerique, mes petits frères. Un jour, je vous conduirai à un observatoire de ce genre-là. L'immensité de l'univers vous bouleversera, je peux vous le garantir.

Épilogue

Grand-papa s'est amené vers trois heures de l'après-midi. Il avait l'air pataud dans la belle propriété du consul. Avant de nous en aller dans les montagnes de papi, j'étais sincère, en souhaitant à M. Livemann: «Bonne chance, pour votre David!»

On va recommencer notre vie tous les quatre. Grand-maman souffre de ses rhumatismes. Il va falloir voir à tout. Nous nous occuperons du ménage. Même des repas, le plus souvent possible. Après l'école, mes frères vous m'aiderez à parachever notre maisonnette dans le saule. Tante Gertrude, du côté des Lange, sera là les week-ends. Ça va nous permettre de l'achever vite, cette cabane.

Un jour, nous l'aurons notre maison à nous. Nous serons libres. Suis certain que grand-papa nous vendra le terrain qui entoure le vieux saule à quatre troncs. Ce sera chez nous, nous baptiserons notre domaine: l'arche de Noé! On aura des animaux tout autour. Je dois oublier l'avenir maintenant et me préparer à descendre. Grand-papa m'a dit: «Ils seront une douzaine de reporters, en bas, dans la salle à manger.» Va falloir que je raconte encore? Je n'ai pas le goût de me souvenir de cet affreux mois.

J'aurai mes livres à colorier pour me rappeler les noms et les faits. J'ai fait un mauvais voyage. Plus tard, quand nous serons des grandes personnes, nous irons en Europe, tous les quatre, nous visiterons Londres, Paris, Rome, pour moi, un drôle de pèlerinage. J'espère que la paix régnera partout sur notre planète. Je n'ai pas hâte que ces questionneurs arrivent. Je voudrais oublier mon cauchemar, ne plus m'en souvenir. J'ai retenu une leçon de cette aventure: plus tard, nous irons dans le Sud aider ceux qui ont du retard. Plus de millions d'enfants mal partis qui meurent chaque année dans ces pays du Sud des continents.

Il est temps de descendre maintenant. Près du cabanon-atelier de papi, dehors, je peux voir, par la fenêtre, deux camionnettes de la télévision. N'ai vraiment pas envie d'être filmé, de parler de ces bandits, de ce matin affreux du 13 mai chez le consul. Du rouquin! Du gros-aux-papermannes. «Ils ont sonné le 13 mai chez les Livemann.» Je dirai: «Maman n'était pas arrivée pour faire leur ménage. Il faisait un beau soleil, comme aujourd'hui. J'ai dit que je m'appelais David, m'ont pris, m'ont jeté dans le coffre de leur auto.» Je quitte le grenier et je descends raconter les chamailleries perpétuelles partout? J'y vais? Le consul, hier soir, m'a téléphoné de l'aéroport de Mirabel. Il m'a dit: «Il faut exiger de toutes les nations l'adoption de cette Convention des droits de l'enfant, oubliez pas, David, on emprisonne, on tue et on torture des enfants. Partout, en Équateur, en Turquie, au Surinam, en Afrique du Sud, en Afghanistan, au Sri Lanka et en Birmanie. Au Pérou, en Argentine, en Syrie, au Liban, au Pakistan. En Israël et au Bangladesh. En Iran et en Irak. Même aux États-Unis, dans certains états, on condamne à mort des moins de quinze ans malgré les conventions internationales.» Ai dit: «Oui! Je le dirai aux reporters.» Mon seul «oui» au consul qui rentrait dans son pays pour négocier la libération de son David à lui.

*

Par la fenêtre de l'escalier j'aperçois, près du hangar, déguisés en chauffeurs de cars de reportage, casquettes, uniformes de la télé nationale, eux! Encore eux? Il y a Zaide, le rouquin, qui rassemble des micros. Pas loin, transportant des réflecteurs, le gros Doublevay; tenant des câbles électriques. Je vois Herr. Sont venus surveiller mes déclarations? Ne dirai rien. Vais aller vers les reporters et je vais déposer mes deux gros livres à colorier sur la table de la salle à manger. C'est tout. Après, je vais sortir de la maison. Irai retrouver mes frères. Sont grimpés dans le vieux saule du bord de l'eau, les entends cogner, en train d'agrandir notre cabane. J'entends Laurent qui crie: «David? David? Viens vite nous aider.» Fini, pour moi, le grand monde!

TABLE

1	7
2	11
3	15
4	17
5	21
6	23
7	25
8	29
9	31
10	33
11	37
12	41
13	45
14	49
15	55
16	57
17	61
18	65
19	69
20	75
21	83
22	89
23	93
24	99
25	105
26	109
27	115
28	121
29	127
30	133
31	143
32	151
33	157
34	169
Épilogue	175

DU MÊME AUTEUR

La corde au cou, roman, Le Cercle du livre de France, 1960.
Délivrez-nous du mal, roman, Éditions À la page, 1961.
Blues pour un homme averti, théâtre, Éditions Parti pris, 1964.
Éthel et le terroriste, roman, Éditions Déom, 1964.
Et puis tout est silence, roman, Éditions de l'Homme, 1965.
Pleure pas, Germaine, roman, Éditions Parti pris, 1965; l'Hexagone, coll. typo, 1989.
Roussil manifeste, interview et commentaires, Éditions du Jour, 1965.
Les artisans créateurs, essai, Lidec, 1967.
Les cœurs empaillés, nouvelles, Éditions Parti pris, 1967.
Rimbaud, mon beau salaud!, roman, Éditions du Jour, 1969.
Jasmin par Jasmin, dossier, Éditions Claude Langevin, 1970.
Tuez le veau gras, théâtre, Éditions Leméac, 1970.
L'Outaragasipi, roman, Éditions de l'Actuelle, 1971.
C'est toujours la même histoire, roman, Éditions Leméac, 1972.
La petite patrie, récit, Éditions La Presse, 1972.
Pointe-Calumet boogie-woogie, récit, Éditions La Presse, 1973.
Sainte-Adèle-la-vaisselle, récit, Éditions La Presse, 1974.
Revoir Éthel, roman, Éditions Stanké, 1975.
Le loup de Brunswick city, roman, Éditions Leméac, 1976.
Feu à volonté, recueil d'articles, Éditions Leméac, 1976.
Danielle, ça va marcher! reportage, Éditions Stanké, 1976.
Feu sur la télévision, recueil d'articles, Éditions Leméac, 1977.
La sablière, roman, Éditions Leméac, 1979.
Le veau d'or, théâtre, Éditions Leméac, 1979.
Les contes du sommet bleu, contes, Éditions Quebecor, 1980.
L'armoire de Pantagruel, roman, Éditions Leméac, 1981.
Maman-Paris, maman-la-France, roman, Éditions Leméac, 1982.
Le crucifié du sommet bleu, roman, Éditions Leméac, 1984.
L'État maquereau, l'État mafia, essai, Éditions Leméac, 1984.
Une duchesse à Ogunquit, roman, Éditions Leméac, 1985.
Des cons qui s'adorent, roman, Éditions Leméac, 1985.
Alice vous fait dire bonsoir, roman, Éditions Leméac, 1986.
Safari au centre-ville, roman, Éditions Leméac, 1987.
Une saison en studio, récit, Guérin littérature, 1987.
Pour tout vous dire, journal, Guérin littérature, 1988.

Les cœurs empaillés, nouvelles, édition de luxe, Guérin littérature, 1988.
Pour ne rien vous cacher, journal, Éditions Leméac, 1989.

COLLECTION FICTIONS

Robert Baillie, *Soir de danse à Varennes*
Robert Baillie, *Les voyants*
Robert Baillie, *La nuit de la Saint-Basile*
François Barcelo, *Aaa, Aâh, Ha ou Les amours malaisées*
France Boisvert, *Les samourailles*
France Boisvert, *Li Tsing-tao ou Le grand avoir*
Christine Bonenfant, *Pour l'amour d'Émilie*
Réjean Bonenfant, Louis Jacob, *Les trains d'exils*
Nicole Brossard, *Le désert mauve*
Gilbert Choquette, *L'étrangère ou Un printemps condamné*
Gilbert Choquette, *La Nuit yougoslave*
Guy Cloutier, *La cavée*
Diane-Jocelyne Côté, *Lobe d'oreille*
Diane-Jocelyne Côté, *Chameau et Cie*
Richard Cyr, *Appelez-moi Isaac*
Norman Descheneaux, *Fou de Cornélia*
Norman Descheneaux, *Rosaire Bontemps*
Jean Désy, *La saga de Freydis Karlsevni*
Renée-Berthe Drapeau, *N'entendre qu'un son*
Andrée Ferretti, *Renaissance en Paganie*
Lise Fontaine, *États du lieu*
Madeleine Gaudreault Labrecque, *La dame de pique*
Gérald Godin, *L'ange exterminé*
Marcel Godin, *Après l'Éden*
Marcel Godin, *Maude et les fantômes*
Pierre Gravel, *La fin de l'Histoire*
Pauline Harvey, *Pitié pour les salauds!*
Louis Jacob, *Les temps qui courent*
Monique Juteau, *En moins de deux*
Marc Gendron, *Opération New York*
Luc Lecompte, *Le dentier d'Énée*
Raymond Lévesque, *Lettres à Éphrem*
Réjean Legault, *Lapocalypse*
Francine Lemay, *La falaise*
Jacques Marchand, *Le premier mouvement*
Émile Martel, *La théorie des trois ponts*
Luc Mercure, *Entre l'aleph et l'oméga*
Joëlle Morosoli, *Le ressac des ombres*
Alphonse Piché, *Fables*
Simone Piuze, *Les noces de Sarah*
Pierre Savoie, *Autobiographie d'un bavard*
Julie Stanton, *Miljours*
Claude Vaillancourt, *Le Conservatoire*
Pierre Vallières, *Noces obscures*
Yolande Villemaire, *Vava*
Paul Zumthor, *Les contrebandiers*
Paul Zumthor, *La fête des fous*

COLLECTION FICTIONS/ÉROTISME

Charlotte Boisjoli, *Jacinthe*

ROMANS

Gilles Archambault, *Les pins parasols*
Gilles Archambault, *Le voyageur distrait*
Robert Baillie, *Des filles de Beauté*
Robert Baillie, *Soir de danse à Varennes*
Robert Baillie, *Les voyants*
Robert Baillie, *La nuit de la Saint-Basile*
François Barcelo, *Aaa, Aâh, Ha ou Les amours malaisées*
François Barcelo, *Agénor, Agénor, Agénor et Agénor*
Jean Basile, *Le Grand Khān*
Jean Basile, *La jument des Mongols*
Claude Beausoleil, *Dead Line*
Michel Bélair, *Franchir les miroirs*
Paul-André Bibeau, *La tour foudroyée*
Julien Bigras, *L'enfant dans le grenier*
Charlotte Boisjoli, *Jacinthe*
France Boisvert, *Les samouraïlles*
France Boisvert, *Li Tsing-tao ou Le grand avoir*
Christine Bonenfant, *Pour l'amour d'Émilie*
Réjean Bonenfant, Louis Jacob, *Les trains d'exils*
Roland Bourneuf, *Reconnaissances*
Marcelle Brisson, *Par delà la clôture*
Nicole Brossard, *L'amèr ou Le chapitre effrité*
Nicole Brossard, *Le désert mauve*
Marielle Brown-Désy, *Marie-Ange ou Augustine*
Gilbert Choquette, *L'étrangère ou Un printemps condamné*
Gilbert Choquette, *La mort au verger*
Gilbert Choquette, *La Nuit yougoslave*
Guy Cloutier, *La cavée*
Guy Cloutier, *La main mue*
Collectif, *Montréal des écrivains*
Diane-Jocelyne Côté, *Lobe d'oreille*
Diane-Jocelyne Côté, *Chameau et Cie*
Richard Cyr, *Appelez-moi Isaac*
Norman Descheneaux, *Fou de Cornélia*
Norman Descheneaux, *Rosaire Bontemps*
Jean Désy, *La saga de Freydis Karlsevni*
Renée-Berthe Drapeau, *N'entendre qu'un son*
Marie-France Dubois, *Le passage secret*
France Ducasse, *Du lieu des voyages*
David Fennario, *Sans parachute*
Andrée Ferretti, *Renaissance en Paganie*
Jacques Ferron, *Les confitures de coings*
Lise Fontaine, *États du lieu*
Lucien Francœur, *Roman d'amour*
Lucien Francœur, *Suzanne, le cha-cha-cha et moi*
Marie-B. Froment, *Les trois courageuses Québécoises*
Madeleine Gaudreault Labrecque, *La dame de pique*
Marc Gendron, *Opération New York*
Louis Geoffroy, *Être ange étrange*
Louis Geoffroy, *Un verre de bière mon minou*
Robert G. Girardin, *L'œil de Palomar*
Robert G. Girardin, *Peinture sur verbe*
Arthur Gladu, *Tel que j'étais...*
Gérald Godin, *L'ange exterminé*
Marcel Godin, *Après l'Éden*
Marcel Godin, *Maude et les fantômes*
Luc Granger, *Amatride*
Luc Granger, *Ouate de phoque*
Pierre Gravel, *À perte de temps*
Pierre Gravel, *La fin de l'Histoire*
Jean Hallal, *Le décalage*
Thérèse Hardy, *Mémoires d'une relocalisée*
Pauline Harvey, *Pitié pour les salauds!*
Suzanne Jacob, *Flore cocon*
Louis Jacob, *Les temps qui courent*
Claude Jasmin, *Les cœurs empaillés*
Claude Jasmin, *Pleure pas, Germaine*
Monique Juteau, *En moins de deux*
Yerry Kempf, *Loreley*
Louis Landry, *Vacheries*
Claude Leclerc, *Piège à la chair*
Luc Lecompte, *Le dentier d'Énée*
Réjean Legault, *Lapocalypse*
Francine Lemay, *La falaise*
Marie Letellier, *On n'est pas des trous-de-cul*
Raymond Lévesque, *Lettres à Éphrem*
Andrée Maillet, *Lettres au surhomme*
Andrée Maillet, *Miroir de Salomé*
Andrée Maillet, *Les Montréalais*
Andrée Maillet, *Profil de l'orignal*
Andrée Maillet, *Les remparts de Québec*
André Major, *Le cabochon*
André Major, *La chair de poule*
Jacques Marchand, *Le premier mouvement*
Émile Martel, *La théorie des trois ponts*
Luc Mercure, *Entre l'aleph et l'oméga*
Joëlle Morosoli, *Le ressac des ombres*
Madeleine Ouellette-Michalska, *La femme de sable*
Madeleine Ouellette-Michalska, *Le plat de lentilles*
Paul Paré, *L'antichambre et autres métastases*
Alice Parizeau, *Fuir*
Pierre Perrault, *Toutes isles*
Léa Pétrin, *Tuez le traducteur*
Alphonse Piché, *Fables*
Simone Piuze, *Les noces de Sarah*
Jacques Renaud, *Le cassé et autres nouvelles*
Jacques Renaud, *En d'autres paysages*
Jacques Renaud, *Le fond pur de l'errance irradie*
Jean-Jules Richard, *Journal d'un hobo*
Claude Robitaille, *Le corps bissextil*
Claude Robitaille, *Le temps parle et rien ne se passe*
Saâdi, *Contes d'Orient*
Pierre Savoie, *Autobiographie d'un bavard*
Jean Simoneau, *Laissez venir à moi les petits gars*
Julie Stanton, *Miljours*
François Tétreau, *Le lit de Procuste*
Claude Vaillancourt, *Le Conservatoire*
Pierre Vallières, *Noces obscures*
Yolande Villemaire, *Vava*
Paul Zumthor, *Les contrebandiers*
Paul Zumthor, *La fête des fous*

COLLECTION DE POCHE TYPO

1. Gilles Hénault, *Signaux pour les voyants*, poésie, préface de Jacques Brault (l'Hexagone)
2. Yolande Villemaire, *La vie en prose*, roman (Les Herbes rouges)
3. Paul Chamberland, *Terre Québec* suivi de *L'afficheur hurle*, de *L'inavouable* et d'*Autres poèmes*, poésie, préface d'André Brochu (l'Hexagone)
4. Jean-Guy Pilon, *Comme eau retenue*, poésie, préface de Roger Chamberland (l'Hexagone)
5. Marcel Godin, *La cruauté des faibles*, nouvelles (Les Herbes rouges)
6. Claude Jasmin, *Pleure pas, Germaine*, roman, préface de Gérald Godin (l'Hexagone)
7. Laurent Mailhot, Pierre Nepveu, *La poésie québécoise*, anthologie (l'Hexagone)
8. André-G. Bourassa, *Surréalisme et littérature québécoise*, essai (Les Herbes rouges)
9. Marcel Rioux, *La question du Québec*, essai (l'Hexagone)
10. Yolande Villemaire, *Meurtres à blanc*, roman (Les Herbes rouges)
11. Madeleine Ouellette-Michalska, *Le plat de lentilles*, roman, préface de Gérald Gaudet (l'Hexagone)
12. Roland Giguère, *La main au feu*, poésie, préface de Gilles Marcotte (l'Hexagone)
13. Andrée Maillet, *Les Montréalais*, nouvelles (l'Hexagone)
14. Roger Viau, *Au milieu, la montagne*, roman, préface de Jean-Yves Soucy (Les Herbes rouges)
15. Madeleine Ouellette-Michalska, *La femme de sable*, nouvelles (l'Hexagone)
16. Lise Gauvin, *Lettres d'une autre*, essai/fiction, préface de Paul Chamberland (l'Hexagone)
17. Fernand Ouellette, *Journal dénoué*, essai, préface de Gilles Marcotte (l'Hexagone)
18. Gilles Archambault, *Le voyageur distrait*, roman (l'Hexagone)
19. Fernand Ouellette, *Les heures*, poésie (l'Hexagone)
20. Gilles Archambault, *Les pins parasols*, roman (l'Hexagone)
21. Gilbert Choquette, *La mort au verger*, roman, préface de Pierre Vadeboncœur (l'Hexagone)
22. Nicole Brossard, *L'amèr ou Le chapitre effrité*, théorie/fiction, préface de Louise Dupré (l'Hexagone)
23. François Barcelo, *Agénor, Agénor, Agénor et Agénor*, roman (l'Hexagone)
24. Michel Garneau, *La plus belle île* suivi de *Moments*, poésie (l'Hexagone)
25. Jean Royer, *Poèmes d'amour*, poésie, préface de Noël Audet (l'Hexagone)
26. Jean Basile, *La jument des Mongols*, roman, préface de Carole Massé (l'Hexagone)
27. Denise Boucher, Madeleine Gagnon, *Retailles*, essais/fiction (l'Hexagone)
28. Pierre Perrault, *Au cœur de la rose*, théâtre, préface de Madeleine Greffard (l'Hexagone)
29. Roland Giguère, *Forêt vierge folle*, poésie, préface de Jean-Marcel Duciaume (l'Hexagone)
30. André Major, *Le cabochon*, roman (l'Hexagone)
31. Collectif, *Montréal des écrivains*, fiction, présentation de Louise Dupré, Bruno Roy, France Théoret (l'Hexagone)
32. Gilles Marcotte, *Le roman à l'imparfait*, essai (l'Hexagone)
33. Berthelot Brunet, *Les hypocrites*, roman, préface de Gilles Marcotte (Les Herbes rouges)
34. Jean Basile, *Le Grand Khān*, roman, préface de Carole Massé (l'Hexagone)
35. Raymond Lévesque, *Quand les hommes vivront d'amour...*, chansons et poèmes, préface de Bruno Roy (l'Hexagone)
36. Louise Bouchard, *Les images*, récit (Les Herbes rouges)
37. Jean Basile, *Les voyages d'Irkoutsk*, roman, préface de Carole Massé (l'Hexagone)
38. Denise Boucher, *Les fées ont soif*, théâtre, introduction de Lise Gauvin, préface de Claire Lejeune (l'Hexagone)
39. Nicole Brossard, *Picture Theory*, théorie/fiction, préface de Louise H. Forsyth (l'Hexagone)
40. Robert Baillie, *Des filles de Beauté*, roman, entretien avec Jean Royer, (l'Hexagone)
41. Réjean Bonenfant, *Un amour de papier*, roman, préface de Gérald Gaudet, (l'Hexagone)
42. Madeleine Ouellette-Michalska, *L'échappée des discours de l'œil*, essai (l'Hexagone)
43. Réjean Bonenfant, Louis Jacob, *Les trains d'exils*, roman, postface de Louise Blouin (l'Hexagone)
44. Berthelot Brunet, *Le mariage blanc d'Armandine*, contes (Les Herbes rouges)
45. Jean Hamelin, *Les occasions profitables*, roman (Les Herbes rouges)
46. Fernand Ouellette, *Tu regardais intensément Geneviève*, roman, préface de Joseph Bonenfant (l'Hexagone)
47. Jacques Ferron, *Théâtre I*, introduction de Jean Marcel (l'Hexagone)
48. Paul-Émile Borduas, *Refus global et autres écrits*, essais, présentation d'André-G. Bourassa et de Gilles Lapointe (l'Hexagone)
49. Jacques Ferron, *Les confitures de coings*, récits (l'Hexagone)
50. John George Lambton Durham, *Le Rapport Durham*, document, traduction et introduction de Denis Bertrand et d'Albert Desbiens (l'Hexagone)
51. Jacques Renaud, *Le cassé*, nouvelles (l'Hexagone)

Cet ouvrage composé en Times corps 12
a été achevé d'imprimer sur les presses
de l'Imprimerie Gagné à Louiseville
en septembre 1990 pour le compte des
Éditions de l'Hexagone

Imprimé au Québec (Canada)